Le gars d'à côté

Sinclair Smith

Traduit de l'anglais par
DENISE CHARBONNEAU

Données de catalogage avant publication (Canada)

Smith, Sinclair

Le gars d'à côté

(Frissons ; 58)
Traduction de : The Boy Next Door.
Pour les jeunes de 10 à 14 ans.

ISBN : 2-7625-8214-8

I. Titre. II. Collection.

PZ23.S5996Gar 1995 j813'.54 C95-941360-X

Dépôts légaux : 4e trimestre 1995
Bibliothèque nationale du Québec
Bibliothèque nationale du Canada

ISBN : 2-7625-8214-8 Imprimé au Canada

LES ÉDITIONS HÉRITAGE INC.
300, rue Arran, Saint-Lambert (Québec) J4R 1K5
(514) 875-0327

À Forrest

Chapitre 1

Il était caché dans la maison et m'attendait. J'aurais dû m'en douter quand j'ai vu la porte ouverte... Mais je n'ai pas réfléchi... Je ne l'ai même pas vu venir.

Je n'ai rien entendu... Je ne savais même pas qu'il était à côté de moi... jusqu'à ce qu'il dise : « Salut ! »

Et alors j'ai senti ses mains autour de mon cou.

Rachel, debout sur le pas de la porte de sa chambre, regarde bouche bée le bulletin de nouvelles à la télévision. Les yeux rivés sur le petit écran, elle va poser sur la table de chevet un plateau d'amuse-gueule, faisant craquer le plancher à chaque pas.

— Quelle horreur ! murmure-t-elle à son amie Odile, qui est assise au bord du lit recouvert d'un édredon rose, les bras autour de ses genoux repliés.

Sans quitter l'écran des yeux, Odile approuve de la tête et plonge la main dans le bol de maïs soufflé.

Si mon voisin n'était pas arrivé sur ces entrefaites, je serais probablement morte à l'heure qu'il est. Le garçon a pris la fuite... C'est dire que, maintenant, il y a un tueur en liberté.

— Quelle horreur ! répète Rachel. Penser qu'une chose pareille est arrivée ici même à Valmont... un tueur en liberté ! Penses-tu qu'il rôde dans les parages ?

Odile regarde Rachel avec curiosité.

— Voyons donc, Rachel, t'en fais pas avec ça ! finit-elle par répondre, avant de se servir une autre poignée de maïs soufflé.

— Quoi ? Ne pas m'en faire après le bulletin de nouvelles qu'on vient d'entendre ? s'indigne Rachel en caressant d'un geste nerveux la manche de son coton ouaté rose.

Odile hausse les épaules.

— Mais ce n'était pas un vrai bulletin de nouvelles ! Il faisait partie d'un film.

— Ah oui ? Tu me fais marcher ! lance Rachel d'un air perplexe en se laissant tomber sur le lit à côté de son amie.

— Mais non, je ne blague pas, assure Odile avec un mouvement de la tête qui fait se balancer les lourds anneaux qui pendent à ses oreilles. Tu n'as jamais entendu parler d'une émission de radio qui, il y a longtemps, avait causé tout un émoi ? On y passait un bulletin de nouvelles annonçant que des extraterrestres avaient envahi la planète. Des gens qui avaient pris l'émission en cours de route ont cru que c'était vrai et que des extraterrestres nous envahissaient.

Odile étire ses longues jambes et pousse un profond soupir.

— Ça va, j'ai compris, lance Rachel en passant le bras devant son amie pour atteindre le bol de maïs. Ça me soulage !

— Tu devrais pourtant savoir qu'il n'arrive jamais de malheur à Valmont, affirme Odile avec un grand sourire.

Puis, tendant l'oreille, elle ajoute :

— C'est quoi ce bruit-là ?

Rachel écoute attentivement, sans rien entendre de particulier.

— Je t'ai eue ! pouffe Odile. Dis donc, tu es bien nerveuse, ce soir. Qu'est-ce qui t'arrive ?

À ce moment précis, elles entendent un frottement tout en haut, près du toit, qui les fait sursauter.

— On dirait que je ne suis pas la seule à être nerveuse, s'esclaffe Rachel. C'est probablement un bardeau qui s'est détaché ou une branche qui a frôlé le toit. En tout cas, rien de grave. Il y a tellement de choses qui clochent dans cette maison, tant de craquements et de bruits étranges que je finis par faire la sourde oreille.

Odile serre ses bras contre sa poitrine, comme si elle était parcourue d'un frisson.

— Je ne sais pas comment tu fais, dit-elle à son amie. Ta maison est tellement isolée, avec la forêt derrière, qu'elle me donne la chair de poule. Jamais je ne resterais ici toute seule.

Sautant du lit, elle va à la fenêtre et repousse le rideau de dentelle.

— Quand est-ce que ton père revient de voyage ?

demande-t-elle en regardant le ciel étoilé.

— Dans trois semaines, à peu près. Il m'a appelée l'autre jour et m'a donné la date. Je l'ai notée.

Rachel cherche en vain le bloc-notes qu'elle garde toujours près du téléphone.

— Il était juste ici, dit-elle en hochant la tête. Du moins, c'est ce que je pensais. J'ai dû le mettre dans un tiroir ou ailleurs.

— Trois semaines ! s'exclame Odile en tapant des mains. Ça veut dire que tu peux sortir tous les soirs. Ou faire des fêtes gigantesques !

Soudain son enthousiasme tombe.

— Non, évidemment. Tu es bien trop raisonnable.

— Eh oui ! renchérit Rachel. La fille raisonnable, c'est moi ! Des fois, j'aimerais mieux ne pas l'être autant.

— Parlant d'être raisonnable, lance Odile après avoir regardé sa montre, il est tard et j'ai des travaux à terminer. Je ferais mieux de rentrer.

Elle ramasse ses affaires et Rachel se lève d'un bond pour la raccompagner.

— Je vais bientôt me coucher, de toute façon, dit-elle. J'ai un entraînement de l'équipe des meneuses de claque de bonne heure demain.

Les deux jeunes filles dévalent bruyamment l'escalier. La silhouette élancée d'Odile contraste avec celle, plus trapue, de Rachel.

— Tu sais, Odile, rien qu'à penser à tout ce qui m'attend cette semaine, je me sens épuisée. Je dois apprendre trois nouvelles figures avant la prochaine partie, j'ai des tas de trucs à faire pour le comité du bal, sans compter que je n'ai rien à porter pour la danse — Thierry a vu toutes mes robes — et je ne vois pas du tout quand je pourrai aller magasiner. Et il y a évidemment les petits à-côtés emmerdants... comme les cours et les travaux à remettre.

Arrivée au pied de l'escalier, Odile se tourne vers son amie et pouffe de rire.

— Ne crois pas que je vais te plaindre, Rachel Belleau. D'abord, tu sais très bien que tu adores avoir un million de choses à faire. Ensuite, tu as tant de vêtements que c'est impossible que tu n'aies rien à porter. De toute façon, Thierry est si fou de toi que tu pourrais l'accompagner vêtue d'un sac de jute sans que ça le dérange.

— D'accord, d'accord, répond Rachel d'un air enjoué. J'ai compris.

— J'espère ! glousse Odile.

La main sur la poignée de la porte, la jeune fille reprend son sérieux et demande à Rachel :

— Tu es sûre que tu n'as pas peur de rester toute seule ? Dans une maison isolée au fond d'un cul-de-sac... aux limites de la ville.

Elle a un léger frisson, et Rachel la pousse gentiment.

— Oui, Odile, j'en suis sûre. D'ailleurs, tu as dit toi-même qu'il n'arrive jamais de malheur à Valmont. Et la maison n'est pas la seule au fond d'un cul-de-sac. Il y a la maison d'à côté.

— Cette maison-là ne compte pas et tu le sais très bien, rétorque Odile avec une grimace avant de lancer, résignée : Bon, d'accord. Je te revois demain.

Rachel referme la porte après avoir salué son amie, puis monte dans sa chambre et se prépare à se mettre au lit.

Elle est en train de retirer son coton ouaté quand elle aperçoit quelque chose du coin de l'œil qui l'arrête net dans son mouvement. Elle se retourne pour regarder par la fenêtre et distingue une lueur dans une des fenêtres de la maison d'à côté.

Pourtant, c'est impossible. La maison est inhabitée depuis des années…

Chapitre 2

Rachel, de sa fenêtre, regarde attentivement la maison inoccupée à côté de chez elle. Tout y est noir. Elle attend un peu, mais la lueur ne revient pas. Au bout d'un moment, elle se demande si son imagination ne lui joue pas des tours. C'est sûrement le faux bulletin de nouvelles qui la rend nerveuse.

Elle va s'asseoir devant sa table de toilette et prend plusieurs inspirations profondes. Petit à petit, les battements de son cœur retrouvent un rythme régulier. Au bout de quelques minutes, elle est assez remise pour enfiler le grand t-shirt qui lui sert de chemise de nuit et elle se met au lit.

En attendant le sommeil, elle écoute les moindres craquements et petits bruits de la vieille maison. Depuis qu'elle est toute petite, c'est la première fois que les bruits l'effraient. Elle se recroqueville dans son lit.

« Ne fais pas l'enfant, se gronde-t-elle. Tu te conduis comme un bébé. » Puis elle tire les couvertures par-dessus sa tête et, peu à peu, les bruits se font de plus en plus faibles... de plus en plus faibles...

Quand la sonnerie stridente de son vieux réveil la tire brusquement du sommeil, Rachel se dresse dans son lit, entortillée dans ses couvertures. Pendant un moment, elle est complètement désorientée.

« J'ai dû dormir d'un sommeil de plomb », se dit-elle en faisant taire le réveil et en sautant du lit. Puis, regardant le réveil à deux fois, elle n'en croit pas ses yeux. Elle pensait l'avoir réglé à six heures et il est six heures trente.

— Oh ! non, je vais être en retard à l'entraînement ! s'écrie-t-elle en se précipitant vers la salle de bains.

Elle prend sa douche en moins de cinq minutes. Heureusement, ses boucles noires se mettent en place rien qu'en secouant la tête et, pour tout maquillage, elle n'utilise qu'un soupçon de brillant à lèvres teinté.

— J'étais pourtant sûre d'avoir réglé le réveil à l'heure, marmonne-t-elle en s'habillant à toute vitesse. Je n'y comprends rien.

Elle redoute la colère de Maryse, la capitaine de l'équipe, qui déteste qu'on soit en retard à l'entraînement. C'est du moins ce qu'elle dit, mais Rachel est plutôt d'avis qu'elle adore faire la leçon aux retardataires.

— Où est mon chandail ? rage-t-elle en tapant du pied.

Son chandail de meneuse de claque est toujours rangé au fond de la garde-robe, mais elle a dû le mettre ailleurs. Elle cherche frénétiquement parmi tous ses vêtements suspendus aux cintres, sans le trouver.

— Non ! Non ! NON ! crie-t-elle. Qu'est-ce que je vais faire ?

L'entraînement de ce matin est une sorte de répétition générale. Déjà qu'elle sera en retard, s'il faut qu'en plus elle ne porte pas la tenue réglementaire...

Elle se rappelle tout à coup qu'elle a rapporté son deuxième chandail du nettoyeur l'autre jour et qu'elle l'a rangé dans le placard de l'entrée. Elle soupire de soulagement et descend les marches quatre à quatre. Elle enfile son chandail en vitesse, lace ses chaussures, attrape son manteau, son sac et ses livres, et bondit hors de la maison.

En courant vers la voiture, elle jette un coup d'œil à la maison d'à côté. Dans la lumière douce du petit matin, elle ne voit qu'une maison négligée, à la peinture écaillée et entourée d'un jardin infesté de mauvaises herbes. Elle démarre en se moquant de ses peurs de la veille.

Quand Rachel entre dans le gymnase, Suzie, la capitaine adjointe, est en train de diriger un numéro de danse pendant que Maryse, dans un coin, bavarde avec son amoureux Donald Trottier. Comme d'habitude, Suzie fait le travail et c'est Maryse qui remportera les honneurs. Rachel croit que Maryse a été élue capitaine bien plus à cause des fêtes monstres qu'elle a organisées avant les élections qu'à cause de son intérêt pour l'équipe, intérêt dont elle se vante sans arrêt.

Rachel se dandine d'un pied sur l'autre pendant que les meneuses sautillent et font des pirouettes. Puis elle va s'installer au bas des gradins et pose bruyamment ses livres à côté d'elle.

Sitôt que le numéro prend fin, Maryse la rejoint à grandes enjambées, le regard furieux. Elle lui lance avec un sourire affecté:

— Merci d'arriver enfin, Rachel. Tu avais oublié l'heure de l'entraînement?

— Bien, je...

— On est un peu écervelée, non? Bon. Tant pis. Continuons.

Maryse tourne les talons dans un geste aussi significatif qu'une gifle, mais Rachel l'oublie vite en s'appliquant à exécuter les figures à la perfection et à retomber gracieusement après chaque saut. Elle sent qu'elle maîtrise bien tous ses mouvements et, à la fin de la répétition, elle a retrouvé sa bonne humeur.

En rassemblant ses livres, elle aperçoit son ami, Thierry Langevin, qui l'attend à la porte du gymnase.

— Tu as été formidable, lui crie-t-il en agitant la main.

— Merci, réplique Rachel.

Elle court à sa rencontre et va pour l'embrasser

sur la joue quand elle sent une main sur son épaule. C'est Maryse.

— Bonjour, Thierry, dit celle-ci en minaudant, avant de s'adresser à Rachel. Excuse-moi d'avoir été impatiente, Rachel, mais tu sais combien l'équipe me tient à cœur. Bon, oublions ça. On a un autre entraînement demain matin, et en tenue, hein ? ajoute-t-elle avec un grand sourire. À demain !

— Entendu, répond Rachel sans quitter Thierry du regard.

Thierry n'est pas vraiment beau, en tout cas pas dans le sens habituel du terme. Mais il est tellement sincère, il a si bon caractère — sans parler de sa tignasse rousse, de ses yeux verts limpides et de sa carrure d'athlète — que toutes les filles finissent par le trouver beau. Rachel est consciente que bien des filles aimeraient être à sa place, mais elle sait aussi qu'elles n'ont aucune chance.

En marchant dans le couloir avec Thierry, ce matin-là, elle se sent comblée par la vie. Rien, apparemment, ne peut ternir sa relation avec Thierry, et aucun nuage ne peut assombrir son parfait bonheur.

Pourtant, le soir même, elle aperçoit encore une lueur à l'une des fenêtres de l'étage dans la maison d'à côté.

Chapitre 3

— Si au moins j'étais sûre que je m'imagine des choses, je me sentirais mieux, marmonne Rachel en regardant par la fenêtre.

De nouveau, la lueur apparaît. Cette fois, il n'y a aucun doute. Elle a vraiment vu quelque chose.

« C'est sûrement un rôdeur, se dit-elle. Et comme il ne trouvera rien dans la maison d'à côté... il viendra peut-être ici après. »

Elle finit par sortir de sa torpeur et, réussissant enfin à bouger, elle va appeler la police.

C'est avec des doigts tremblants qu'elle compose le 911. Elle est soulagée quand elle entend la voix réconfortante du préposé, qui lui demande de décrire la situation. Rachel demande qu'on envoie immédiatement quelqu'un, mais le préposé n'arrête pas de poser des questions qui lui mettent les nerfs en boule. Elle doit donner son adresse et expliquer en détail la nature du problème, répéter son adresse et répondre encore à d'autres questions.

Finalement, il accepte d'envoyer des policiers et

elle l'entend transmettre la demande. Il la garde ensuite en ligne et lui parle jusqu'à ce qu'elle aperçoive les phares d'une voiture de police à l'extérieur.

Elle court ouvrir la porte, juste au moment où les deux agents en uniforme claquent les portières de la voiture.

— Bonsoir ! lance une policière de petite taille aux cheveux sombres.

Son insigne indique qu'elle s'appelle Dominique. Rachel lui répond par un signe de tête.

L'autre agent, grand et mince et prénommé Guy, d'après son insigne, prend la parole.

— Il y a un rôdeur dans les parages, à ce qu'il paraît... Veux-tu nous dire ce que tu as vu, exactement ?

— Bien sûr. Entrez donc.

Les deux agents suivent Rachel dans la maison. Guy va s'asseoir sur le canapé, tandis que Dominique s'installe dans la bergère. Elle pose des questions et prend des notes pendant que Rachel explique qu'elle a vu une lumière à l'étage de la maison voisine. Finalement, la policière dépose son carnet.

— Donc, tu crois avoir aperçu quelqu'un ou quelque chose à côté, mais personne n'a essayé de s'introduire ici, du moins pas à ta connaissance.

Rachel acquiesce d'un hochement de tête.

— Eh bien, on va aller voir ça, dit le policier Guy en lançant un regard entendu à sa collègue.

— D'accord, allons vérifier, approuve-t-elle en sortant sa lampe de poche.

Ils se lèvent tous les deux d'un même mouvement et Rachel les suit à l'extérieur, dans la nuit claire et froide. Elle peut entendre les froissements de feuilles et les craquements de branches troubler le silence pendant que les agents font le tour de sa maison, éclairant de leurs lampes de poche les fenêtres du rez-de-chaussée et du sous-sol. Ils vérifient ensuite minutieusement toutes les portes.

— Rien de suspect ici, finit par dire l'agente Dominique en rajustant son képi. Ne t'inquiète pas et attends-nous sagement. On va jeter un coup d'œil à côté et on revient tout de suite.

Rachel les regarde disparaître dans l'obscurité. Les bras serrés contre sa poitrine, elle rentre dans la maison, referme lentement la porte et va s'asseoir dans la bergère qu'occupait Dominique quelques instants auparavant.

Elle observe l'horloge de parquet, attentive au mouvement du pendule qui va et vient inlassablement. Tous les muscles de son corps sont tendus.

En un rien de temps, les agents sont de retour. Rachel, la bouche sèche, se hâte d'aller leur ouvrir. Leur expression la déconcerte. Tout à l'heure, ils avaient l'air préoccupés ; maintenant, c'est autre chose qu'elle lit dans leurs yeux.

— Qu'est-ce... qui s'est passé ? demande-t-elle. Avez-vous trouvé quelque chose ?

L'agent Guy parle le premier.

— Tu as dit au téléphoniste que ton père était en voyage d'affaires. Alors peut-être que tu n'as pas grand-chose à faire, ici toute seule, et que tu as voulu jouer un tour aux policiers. Peut-être que ça t'amusera, demain, de raconter à tes copines que tu t'es moquée de deux agents en leur faisant croire qu'il y avait un rôdeur dans les parages, non ?

Le policier se penche vers Rachel et ajoute d'un ton sévère :

— Tu ne trouves pas que tu as passé l'âge de jouer à des jeux pareils ?

— Mais... qu'est-ce qui se passe ? demande Rachel d'une voix tremblante.

L'agente Dominique enlève son képi, se passe la main dans les cheveux et le remet en place, puis dit à son collègue :

— Peut-être que c'est autre chose.

S'adressant à Rachel, elle lui demande :

— Tu avais l'air vraiment effrayée, Rachel. Est-ce bien le cas ?

— Évidemment ! lance Rachel, interloquée.

— Tu sais, continue l'agente, il n'y a pas de honte à avoir peur. Mais tu ne dois pas inquiéter les gens et faire venir les policiers alors qu'on a peut-être besoin d'eux ailleurs.

— Mais... de quoi parlez-vous ? bredouille Rachel. J'ai bel et bien vu une lumière dans une fenêtre du haut.

L'agent Guy hoche la tête et sourit d'un air condescendant.

— Tu as peut-être vu un fantôme, mais pas une personne en chair et en os. La maison est barricadée. Personne n'y est entré depuis très, très longtemps. Si ça te rend nerveuse d'être seule, demande donc à une copine de venir habiter avec toi.

Et, d'une voix sévère, il ajoute en détachant ses mots :

— Parce que je ne veux pas que tu nous fasses appeler encore si tu vois des lucioles, ou quelque chose du genre, que tu prends pour un rôdeur. J'ai autre chose à faire !

La policière fait un signe de tête réprobateur à son collègue, qui se radoucit.

— De toute façon, tu peux dormir tranquille. Il n'y a pas un chat à côté.

Chapitre 4

Il n'y a pas un chat à côté. « Ce que ça veut dire, c'est qu'il n'y avait personne à ce moment-là », songe Rachel, qui n'a pas bougé de son fauteuil depuis le départ des policiers.

Elle se secoue et va dans la cuisine, se disant qu'un peu de ménage l'aidera peut-être à se calmer.

Elle prend le sac d'ordures en fredonnant et sort par la porte arrière sans prendre la peine d'enfiler une veste. Grelottante, elle dépose le sac dans la poubelle et remet le couvercle en place. L'air frisquet lui fait du bien. La nuit est si calme, si paisible, qu'elle reste un moment à admirer les étoiles. Il n'y a pas la moindre brise. Pas une feuille ne bouge.

Soudain, le couvercle de la poubelle atterrit sur le béton avec un fracas pareil à un coup de fusil. Le sang glacé dans les veines, Rachel se demande ce qui se passe quand deux bras robustes l'attrapent par derrière. Elle reste saisie, et sa surprise n'a d'égale que sa terreur.

— Ha ! Ha ! Ha ! Ha !

Derrière elle, un rire sonore retentit. Elle veut crier, mais aucun son ne sort de sa bouche. Puis l'homme au rire guttural et menaçant la fait pivoter sur elle-même.

Paralysée de peur, Rachel ne veut pas le regarder dans les yeux tant ses ricanements sont chargés de menaces. Mais elle ne peut pas s'empêcher de lever les yeux vers lui... et le choc est encore plus grand que celui de la peur.

Le visage qu'elle découvre cadre si peu avec l'horrible rire grinçant qu'elle n'en croit pas ses yeux. C'est un visage superbe, celui d'un garçon de son âge, qui n'a rien de menaçant, au contraire.

« On le dirait sorti tout droit d'une publicité télévisée annonçant un produit santé », songe Rachel, oubliant le froid qui tout à l'heure la faisait grelotter.

Le garçon a une expression douce qui lui donne un air presque angélique. Ce qui frappe le plus, c'est la couleur de ses yeux : bleu glacier. Il a des cheveux noirs et droits qui tombent par-dessus son col, et le teint bronzé d'un instructeur de ski nautique dans les Antilles, ou d'un moniteur de ski dans les Alpes. Même dans la demi-obscurité du porche, Rachel peut voir qu'il a les dents d'une blancheur éclatante et, quand il renverse la tête en arrière et se met à rire, elle n'arrive pas à le quitter des yeux.

« Mon cœur bat la chamade... comme on lit dans les romans », se dit-elle. Elle est tellement stupéfaite qu'elle en oublie sa peur et ne peut que le dévisager. Il est si beau qu'elle se demande s'il n'est pas le fruit de son imagination. Quand enfin il la relâche, elle est presque déçue.

— Je ne voulais pas t'effrayer, dit-il avec un regard enjoué, à travers des cils d'une longueur inusitée pour un garçon.

Puis il éclate de nouveau de son étrange rire.

— Hé ! Hé ! Hé ! Mais je crois bien que c'est fait.

— D'où... sors-tu ? parvient à dire Rachel.

L'air est si frais que leur haleine se fige en petits nuages. Pourtant, le bel inconnu ne paraît pas du tout gêné par le froid, même s'il ne porte qu'un léger blouson en jeans. Les mains dans les poches, il reste silencieux un moment et se balance d'avant en arrière sur les talons.

Le silence persiste.

Juste comme Rachel commence à se demander s'il la taquine ou s'il n'est pas anormal, il se met à parler.

— Et si j'étais tombé du ciel ? Qu'en penses-tu ?

Rachel est fascinée de voir ses yeux briller dans le noir. « Oui, il me taquine », se dit-elle, et elle entre dans son jeu.

— C'est possible, lance-t-elle. Je n'ai pas entendu de pas. En fait, tout ce que j'ai entendu, c'est le fracas du couvercle de la poubelle.

— Je sais. J'ai atterri en catastrophe, réplique-t-il en se balançant toujours, les mains dans les poches et l'air moqueur.

— Sois sérieux. Tout était si tranquille. J'aurais dû entendre tes pas. Ça fait peur, non ?

— Peut-être que je suis un gars qui fait peur...

Rachel hausse les épaules. « Combien de temps va durer son petit jeu ? » se demande-t-elle, de plus en plus agacée.

— Bon ! Si tu ne veux pas me dire d'où tu viens, alors dis-moi qui tu es.

— Il n'y a rien de plus à dire que ce que tu vois, réplique-t-il d'un air malicieux.

Rachel presse ses mains l'une contre l'autre, puis les laisse retomber.

— Très bien. Alors au revoir.

Exaspérée, elle tourne les talons.

— Hé ! attends ! crie le jeune homme.

Rachel hésite, puis se tourne vers lui.

— Excuse mes mauvaises manières, dit-il. Quand je m'amuse, je me laisse parfois prendre à mon jeu. J'aime bien faire des blagues. Je m'appelle Julien Dixon et j'emménage bientôt dans la maison d'à côté. Avec mes parents, bien entendu. On vient tous habiter ici.

Rachel jette un coup d'œil à la maison. Julien, qui a suivi son regard, s'empresse de préciser :

— Évidemment, elle a besoin de quelques réparations.

— Tu parles ! approuve Rachel en souriant malgré elle.

Elle commence à se détendre.

— Tope là ! dit Julien en lui tendant la main,

qu'elle serre après une courte hésitation.

La chaleur de sa main est agréable, dans le froid. Rachel prend garde de ne pas la tenir trop longtemps, mais c'est lui qui retient la sienne.

« Il est en train de flirter, se moque intérieurement Rachel. "Julien", se répète-t-elle. "Julien". Il est plus intéressant que tous les garçons que je connais. »

— Je rafistole la maison avant l'arrivée de mes parents, explique-t-il. Je suis très... adroit.

— Vraiment ? fait Rachel en le regardant droit dans les yeux. Pourtant, à la façon dont tu dis adroit, on dirait que tu sous-entends quelque chose.

Julien fait semblant d'être étonné.

— Ah oui ? Et qu'est-ce que je sous-entends, d'après toi ?

— Comment savoir ? rétorque Rachel sur le même ton moqueur.

— Soyons sérieux, tranche Julien en n'essayant plus de faire le malin. Je t'ai parlé de moi, alors à toi, maintenant. Tu ne m'as même pas dit ton nom.

— D'accord, acquiesce Rachel, qui se sent un peu étourdie. Je m'appelle Rachel Belleau et, comme tu le sais, j'habite à côté de chez toi... avec mon père, dit-elle avec un petit sourire. Euh... Quoi d'autre ? Ah ! mon père anime une émission de télévision sur le bricolage !

Elle a encore un petit rire. Julien la rend nerveuse.

— Tu sais, ta maison n'est pas la seule à avoir besoin de réparations. Mon père bricoleur ne répare jamais rien chez nous. Hum!... qu'est-ce que je pourrais ajouter? dit-elle en tortillant une de ses boucles noires. Ah oui! je suis meneuse de claque à l'école! C'est super.

Elle se force à se taire, de peur qu'il la trouve trop bavarde. Elle voulait l'impressionner en lui disant qu'elle était meneuse de claque, mais il a plutôt l'air amusé.

— Meneuse de claque, hein? Sympa! Tu dois aussi t'occuper du bal de fin d'année ou quelque chose du genre, et je suppose que tu sors avec un sportif et que tu fais partie de tous les comités de l'école. Tes amis doivent tous être très branchés et... absolument charmants, comme toi.

Rachel, la gorge serrée, est complètement abasourdie.

— Hé! ne te sens pas visée! ajoute Julien avec un air indulgent. Il n'y a rien de mal à ça. C'est juste un peu enfantin. J'ai dépassé ce stade, c'est tout. Et ça m'ennuie.

— Ah oui? Et puisque tu es si évolué, qu'est-ce que tu aimes faire? Sauter en parachute? Ou fais-tu partie du jet set international?

Rachel a pris son ton le plus sarcastique.

— Oh! la la! lance Julien, l'air soudain désolé. Bon, je suppose que je ne peux pas t'en vouloir d'être vexée. J'ai été un peu dur. Tu me pardonnes?

Rachel ne répond pas, mais elle se sent fléchir. Oui, il a été dur, mais comment lui en vouloir? Il a l'air si sincèrement désolé.

— Faisons la paix, dit-il d'un ton enjôleur. Je vais t'inviter et te montrer les choses que, moi, j'aime faire.

Chapitre 5

« Au fond, plein de choses m'ennuient », se dit Rachel en se préparant pour son entraînement, le lendemain matin. C'est comme si elle le savait depuis longtemps, mais que, d'une certaine façon, Julien lui avait ouvert les yeux.

Après avoir enfilé sa tenue, elle se regarde dans le miroir et se dit que Julien a raison. Le chandail blanc arborant l'écusson vert de la polyvalente n'a plus autant d'attrait à ses yeux, et l'idée de sauter en tous sens et de scander des slogans lui paraît tout à coup stupide. En fait, bien des choses lui paraissent différentes aujourd'hui.

Comparés à Julien, si évolué, ses amis ont l'air d'une bande de gamins. Même Thierry n'est pas à la hauteur.

Elle retire sa tenue de meneuse de claque, soudain prise de doutes sur cette activité. Le moment est peut-être venu de passer à autre chose.

En rangeant son costume dans la garde-robe, elle examine les rangées de souliers et les jupes, pantalons, chandails et chemisiers qui pendent sur des cintres. Ses vêtements non plus ne conviennent pas. Elle ne veut surtout pas que Julien trouve qu'elle s'habille comme une fillette.

Finalement, elle enfile un jeans et un t-shirt, puis se met lentement en route pour la polyvalente. Que dira Maryse de son absence à l'entraînement ? Rachel décide qu'elle s'en fiche.

Elle arrive quelques minutes avant son premier cours et traverse le couloir bondé d'élèves en pensant à Julien. Elle a l'impression de flotter sur un nuage. Thierry, Maryse et une autre fille de l'équipe l'attendent près de son casier, et même cela ne la ramène pas sur terre.

— Hé ! où étais-tu ? lance Maryse avant même que Rachel les ait rejoints.

— Attends, Maryse. Peut-être qu'il lui est arrivé quelque chose, intervient Carole, une fille aux cheveux noirs et aux grands yeux bruns.

Rachel s'apprête à ouvrir son casier sans leur prêter attention.

— Eh bien ? fait Maryse au bout d'un moment. J'attends une explication.

— Très bien, Maryse, rétorque Rachel tout en jouant avec la combinaison de son cadenas. Je n'irai pas à la partie ce soir. D'ailleurs, je me retire de l'équipe.

Ce n'est pas la réponse que Maryse attendait et elle en reste bouche bée. Elle croise les bras, se dandine d'une jambe sur l'autre, puis au bout d'un moment elle fait signe à Carole et toutes les deux s'en vont en laissant Thierry avec Rachel.

Thierry la prend par les épaules et la retourne doucement. Elle regarde ses yeux verts si profonds. « Il est honnête, sincère... et sans surprise », ne peut-elle s'empêcher de penser.

— Rachel, il faut que je te demande quelque chose. Tu décides comme ça, tout d'un coup, d'abandonner l'équipe des meneuses de claque. Pourquoi ?

Rachel soupire et se tourne de nouveau vers son casier. Thierry ne pourrait pas comprendre.

— Tu pourrais au moins me regarder.

Rachel fouille dans son casier, faisant mine de chercher un livre. Voyant qu'elle s'entête, Thierry ajoute, avec une pointe de contrariété dans la voix :

— Ça ne t'intéresse pas de savoir ce que j'en pense, Rachel ?

Le couloir est presque désert. La cloche du début des cours va bientôt sonner. Thierry attend patiemment la réponse de Rachel.

— Non, Thierry. Ça ne m'intéresse pas.

Elle a répondu la tête dans le casier. Elle n'a pas envie de se retourner, furieuse d'avoir des sentiments aussi confus. La colère et la culpabilité s'entremêlent au point qu'elle ne peut plus faire la distinction entre les deux.

« Si seulement il pouvait s'en aller ! Juste s'en aller. »

— Thierry, j'ai envie de faire ce qui me plaît, maintenant, c'est tout. Et l'équipe de meneuses ne me dit plus rien.

Thierry se tait, mais Rachel sent la tension entre eux.

— Peut-être que je ne te dis plus rien moi non plus, laisse-t-il enfin tomber.

Elle sent bien qu'il attend qu'elle proteste... qu'au moins elle dise quelque chose. Mais elle se tait. Thierry finit par s'en aller sans rien ajouter de plus.

Les nouvelles courent vite à la polyvalente, comme dans n'importe quelle école. La première période est à peine terminée que les rumeurs concernant Thierry et Rachel, et Rachel et l'équipe de meneuses vont déjà bon train. Les têtes se tournent sur le passage de Rachel, et bientôt toute l'école bourdonne de commérages.

— Qu'est-ce qui arrive à Rachel Belleau ?

— As-tu entendu la nouvelle ? Rachel et Thierry se sont disputés.

— Qu'est-ce qui lui prend, à Rachel ? Thierry est tout à l'envers.

— Hé ! Rachel Belleau abandonne l'équipe des meneuses et elle a laissé tomber Thierry. Elle est complètement folle !

La fille qui a lancé la dernière remarque ne savait pas que Rachel l'entendait. Quelle n'est pas sa surprise quand Rachel se retourne et lui crie :

— Tu penses que je suis folle ? Peut-être ! Et c'est tant mieux !

Chapitre 6

Ce soir-là, Rachel fait les cent pas dans sa chambre en ruminant ce qui s'est passé à l'école. Toute la journée elle a senti qu'on parlait d'elle. Les conversations cessaient brusquement aussitôt qu'elle approchait, pour reprendre de plus belle dès qu'elle avait tourné le dos.

« Et puis après ! se dit-elle. S'ils sont scandalisés que j'abandonne l'équipe et que je laisse tomber Thierry, je m'en fiche. De toute façon, ça ne les regarde pas. »

Elle enfile un chandail, dévale l'escalier et sort sur le perron. Il faut qu'elle parle à Julien.

Mais après avoir fait le pied de grue pendant près d'une heure, elle ne voit toujours pas apparaître Julien. De temps à autre, elle jette un coup d'œil à la maison d'à côté sans y déceler la plus petite lueur.

« S'il fallait que je ne le revoie plus jamais ? » se dit-elle. Elle est affolée à cette idée et se trouve ridicule, mais elle n'y peut rien.

« Où est-il ? Qu'est-ce qu'il peut bien faire ?

« Peut-être qu'il a décidé de ne pas bricoler ce soir.

« Peut-être qu'il ne voulait pas me voir, ou qu'il avait autre chose à faire.

« Peut-être, après tout, que ses parents ne déménageront pas.

« Peut-être qu'il est sorti avec une autre fille. »

Elle décide de rentrer. Juste comme elle pousse la porte, elle entend derrière elle :

— Salut !

Elle sursaute et se retourne vivement. La voix est venue de nulle part. On dirait la voix de Julien, mais où est-il ?

C'est alors qu'elle voit ses yeux briller dans le noir. Il surgit à côté d'elle, sortant de l'ombre.

— D'où sors-tu ? demande-t-elle en distinguant à peine son visage. Je n'ai rien entendu, je n'ai pas vu de lumière. Je te ch...

Elle s'interrompt brusquement, furieuse de s'être dévoilée.

— Ah ! ah ! lance-t-il d'une voix qui ressemble plus à une caresse qu'à un rire. Ahhh... je t'ai eue ! Tu me cherchais.

Le clair de lune illumine maintenant son visage et Rachel le voit distinctement.

— Oui... et puis ? fait-elle en repoussant une mèche rebelle. J'étais en train d'étudier et je me suis arrêtée pour me reposer. Puis j'ai eu envie de parler à quelqu'un.

— Moi aussi, je cherchais quelqu'un à qui parler. Et j'avais envie que ce soit toi. Alors me voilà.

Il s'est rapproché en parlant, au point que ses derniers mots ont presque été murmurés à l'oreille de Rachel. Elle tend la main pour le toucher… mais il rompt brusquement le charme.

— Alors, tu t'es avancée dans ton étude ? Et comment ça se fait que ton petit ami n'étudie pas avec toi ? Ça te ferait quelqu'un à qui parler. C'est… « Terrier », hein ? C'est comme ça qu'il s'appelle ? C'est ce que tu m'as dit hier, non ? Alors pourquoi « Terrier » n'est pas là pour te tenir compagnie ?

Il enfonce les mains dans ses poches et se balance d'avant en arrière, la regardant de biais.

— Il ne s'appelle pas « Terrier », mais Thierry. Et on étudie rarement ensemble. D'ailleurs, il n'y a plus de chances qu'on le fasse, parce que je l'ai quitté aujourd'hui même. Bien que ce ne soit pas de tes affaires.

« J'ai dû parler comme une vraie pie, se dit-elle. Je ne me souviens pas d'avoir mentionné Thierry. »

— Bon ! je suis content d'apprendre que tu as écarté « Terrier », ou Thierry, si tu préfères !

Un sourire allume ses prunelles, lui donnant un air de chérubin qui fait fondre Rachel. Il vient près d'elle et lui caresse lentement le bras. Elle en éprouve des picotements dans tout son corps.

— Oui, je suis très content. Hé ! tu sais de quoi j'ai envie ?

Il se tient devant elle, si près qu'elle a l'impression qu'il va l'embrasser.

— De quoi ? soupire-t-elle en fermant les yeux.

Il se penche et lui chuchote à l'oreille, si près qu'elle sent la chaleur de son haleine :

— D'aller faire une promenade. Viens.

— Oh ! fait-elle en ouvrant les yeux, déçue.

Julien se met en marche et elle le suit, comme hypnotisée. Ils traversent le terrain derrière la maison, passent la clôture et se dirigent vers le bois.

— Tu veux aller dans le bois en pleine noirceur ?

— Pourquoi pas ? Tu ne t'es jamais promenée dans le bois, le soir ? C'est très paisible.

— C'est plutôt épeurant, tu veux dire. Et on ne sait pas qui peut s'y trouver.

Julien s'arrête et, lui prenant la main, il dit :

— Ce n'est pas tout à fait vrai. Ce soir, tu sais que je suis là. Viens. Ce soir, on y sera ensemble. Rien que toi et moi.

Chapitre 7

Rachel suit Julien dans le bois en le tenant par la main. Ils marchent longtemps, jusqu'à une petite crique où l'eau est peu profonde et tourbillonne en gazouillant sur les galets.

— On va la traverser, dit Julien.

— Quoi ? Dans le noir ? Tu... tu es fou !

Rachel se raidit et recule d'un pas.

— Viens donc, fait Julien en lui tirant la main.

— Non. Ce n'est pas prudent.

Il se met à rire.

— C'est justement ça, l'idée. Tu ne fais jamais rien d'un peu angoissant, d'un peu audacieux ? Non, évidemment. Pas avec un gars comme « Terrier ».

— Il s'appelle Thierry et... Eh bien non ! répond-elle, agacée.

— Alors, c'est le temps ou jamais de commencer. Tu ferais mieux de me suivre, sinon tu vas rester toute seule dans l'obscurité du bois. Ne t'inquiète pas. Je peux marcher sur l'eau, dit-il avec un sourire espiègle que Rachel devine à peine dans le noir.

« Je suis sûre que c'est vrai », se dit-elle. Elle regarde le reflet de la lune dans le cours d'eau et, sans trop s'en rendre compte, elle suit Julien et traverse la crique en posant soigneusement les pieds sur les cailloux.

Surprise ! Elle se sent audacieuse, et ça lui plaît.

Après cette expérience, ils vont tous les soirs se promener au clair de lune.

— Salut ! murmure Julien, toujours de la même manière, surgissant chaque fois de l'ombre comme une apparition.

Julien.

Julien.

Julien.

Chaque fois, la voix de Julien fait battre le cœur de Rachel... tout son corps respire comme jamais auparavant. Il est si séduisant. Si audacieux.

« Salut ! »

Ils s'enfoncent toujours de plus en plus loin dans le bois. Un soir, ils vont jusqu'au bord d'une falaise qui surplombe un ravin d'une dizaine de mètres. Rachel, les yeux fermés, se tient debout dans le clair de lune tout au bord du précipice.

— Tu n'iras pas plus loin que ça ? la taquine Julien. Regarde. Je peux lever le pied et plier le genou. Et toi ?

Rachel hésite. Elle est comme hypnotisée.

— Regarde ! crie Julien. Je peux me tenir sur une jambe, comme un danseur de ballet.

Debout au bord de la falaise, il lève les bras au-dessus de sa tête et fait une petite pirouette.

Rachel s'agrippe au bord du gouffre avec les orteils, là où le sol s'effrite légèrement. Elle lève les bras, ferme les yeux.

— N'ouvre pas les yeux ! N'ouvre pas les yeux ! crie Julien dans la nuit.

Rachel garde les yeux fermés. Une brise lui caresse le visage... elle se sent à peine en équilibre. Elle éprouve une excitation étrange, étourdissante. Les bras tendus, elle lève lentement une jambe devant elle et pointe les orteils. Elle se sent comme une funambule. Elle a l'impression que l'air l'enveloppe, la soutient, l'empêche de tomber.

Soudain un son transperce le silence, éclate à son oreille comme un coup de feu... très fort... très près.

— Hou !

Le charme est rompu et tout chavire. Rachel essaie d'attraper Julien, mais ses doigts ne rencontrent que le vide.

— Julien ! crie-t-elle.

Elle se sent tomber.

Chapitre 8

Pendant que le monde tourne à une vitesse folle, Rachel sent le sol céder sous ses pieds.

Elle tombe. Elle essaie de se cramponner à quelque chose, mais il n'y a rien. Puis, tout d'un coup, c'est fini.

Julien l'attrape par la taille et la relève.

— T'as fait bon voyage ?

En riant, il l'éloigne du précipice et Rachel se laisse tomber dans ses bras. La voix de Julien semble venir de très, très loin.

— Ha ! Ha ! Ha ! Ha ! À ne pas essayer deux fois, hein !

Rachel reprend graduellement ses esprits. Elle sent, contre sa joue, la veste rugueuse de Julien, sa poitrine robuste sous sa veste. Peu à peu, la peur se retire comme une marée qui descend, pour faire place à une grande fierté.

Tout lui semble plus clair, plus contrasté, plus brillant... plus vivant. Elle a l'impression de sentir battre le cœur de Julien dans sa poitrine, de sentir battre la vie dans l'air ambiant.

— Hourra ! Bravo ! Bien joué ! s'écrie Julien.

— J'aurais pu tomber dans le ravin, et pourtant, je me sens tellement... en vie ! rétorque Rachel, euphorique.

Julien prend du recul et la regarde dans les yeux.

— Voyons donc ! Tu ne tombais même pas... Tu n'es même pas allée jusqu'au bord. Tu reculais, reculais. C'est pour ça que je t'ai dit de ne pas ouvrir les yeux, pour que tu ne sois pas déçue de te voir loin du bord. Je ne voulais pas que tu rates l'expérience. Je m'y connais, tu sais. Ça fait longtemps que je fais ça.

Il lui prend le menton et lui relève le visage.

— Tu sais bien que je ne t'aurais pas laissée tomber.

Rachel le regarde... voit le demi-sourire qui lui chatouille les lèvres.

— Vraiment ? demande-t-elle.

Elle a l'impression qu'ils sont en train de jouer un jeu... de flirter. Mais, un doute subsiste dans son esprit...

— Ben voyons ! Évidemment... Je ne t'aurais jamais laissée tomber.

Il prend son visage entre ses mains et Rachel se sent transportée.

— Ce qu'il faut, c'est oser, aller à la limite. Non pas être en danger, mais se sentir en danger. La différence est très mince, mon trésor.

Il attrape soudain Rachel par la main et l'entraîne

sur le chemin du retour.

— J'ai une autre idée, dit-il. Viens, tu vas aimer ça. C'est fascinant.

Ils marchent dans l'herbe haute qui leur monte jusqu'aux genoux, mais Rachel ne sent rien. Elle ne porte pas à terre. Dès l'instant où Julien lui a pris la main, son cœur s'est envolé.

Elle se retrouve bientôt devant le garage de sa maison sans s'en être aperçue. Julien la prend par les épaules et la regarde dans les yeux. Son visage, éclairé par la lune et les étoiles, est comme illuminé de l'intérieur.

— Allons faire un tour dans ta voiture, dit-il.

— Maintenant ? Il est tard.

— Et alors ?

— Bien... Je ne me suis jamais promenée en voiture aussi tard. Il n'y a pas un chat dehors.

— C'est ça qui est bien. Allons faire un tour du côté du petit mail. Tu sais, celui où tu vas avec tes amis, quand vous n'avez pas envie d'aller jusqu'au grand centre commercial de Valmont. Et s'il n'y a personne sur la route, c'est parfait. On va pouvoir faire de la vitesse.

— Bon... d'accord.

Quelques instants plus tard, ils partent dans la Camaro bleue de Rachel. Ses craintes s'envolent dès qu'ils se trouvent sur la grande-route. Rachel s'est laissée prendre à l'enthousiasme de Julien. Mais en son for intérieur, elle sait bien que c'est par Julien lui-même qu'elle est prise. Alors elle se sent audacieuse. Jamais elle n'a roulé aussi vite… elle est devenue casse-cou.

— Plus vite, vas-y. Il n'y a personne. C'est super !

— Mais je n'ai jamais conduit aussi vite, répond Rachel, qui sent la résistance du vent contre elle, contre sa peau.

— Et alors ?

Rachel regarde Julien et se sent envoûtée par la lueur de ses yeux et l'expression de son visage. Il se cale au fond du siège, bien, bien au fond, pendant que Rachel écrase l'accélérateur. Et le moteur rugit.

Ils foncent à une allure vertigineuse. Les lumières défilent comme un ruban de chaque côté de la route. Ils dépassent le mail, sortent de la ville et se retrouvent en pleine campagne. Rachel se sent libre et débordante de vie.

Soudain, la nuit est déchirée par un éclat de lumière qui l'éblouit. Elle entend la voix de Julien crier, comme dans le lointain :

— Ne ralentis pas ! Vas-y ! Fonce ! Ils vont s'arrêter.

À l'instant même où Rachel comprend que la lumière qui l'éblouit est celle des phares d'une voiture, elle comprend aussi qu'il va y avoir collision. Les deux conducteurs appuient sur le klaxon. On entend un hurlement de freins, suivi d'une explosion de sons et de lumières.

Et puis c'est le noir total.

Chapitre 9

Rachel reste tapie dans l'obscurité protectrice. Elle n'éprouve aucune sensation, n'entend pas un bruit et, surtout, ne ressent aucune douleur. Elle veut rester là, à l'abri de la douleur.

Les voitures se sont tamponnées brutalement dans un fracas de verre éclaté, de métal froissé et tordu... et elle était là, au cœur de tout ce désastre.

Du fond de l'obscurité, elle s'entend prononcer :

— Pourquoi ? Pourquoi, Julien ? Pourquoi ?

Pourquoi Julien lui a-t-il dit de continuer ? Est-il détraqué ? Voulait-il la tuer ?

— Pourquoi quoi ? Pourquoi quoi, veux-tu me le dire ? Pour l'amour du ciel, Rachel ! Ressaisis-toi.

Elle constate qu'ils avancent. Comment est-ce possible ?

Elle parvient à ouvrir les yeux et voit la route se dérouler devant elle, éclairée par les lampadaires qui la jalonnent. Julien est assis à côté d'elle, mais il tient le volant à deux mains. Elle le voit serrer et desserrer les mâchoires.

— Tu es tombée dans les pommes juste comme tu donnais un coup de volant. Tu n'aurais pas dû donner de coup de volant, d'ailleurs. L'autre voiture a cédé, exactement comme je te l'avais dit.

Julien inspire profondément à deux reprises, puis dit d'une voix plus douce :

— Allez, Rachel, reprends le volant. C'est dangereux.

Comme une automate, Rachel pose les mains sur le volant. Aussitôt les sensations reviennent dans tout son corps. « Est-ce que je rêve ? » se demande-t-elle. Elle a l'impression qu'elle va être malade.

— Pauvre toi, lui dit Julien en lui caressant la joue. Tu dois être morte de peur.

« Et comment donc ! » se dit mentalement Rachel, les mains serrées sur le volant.

— Il faut que je t'avoue quelque chose, dit Julien en se redressant, l'air radieux. Tu n'aurais pas dû donner de coup de volant, mais tu as été sensationnelle. Tu es passée à ça, fait-il en s'arrachant un cheveu de la tête. Tu es passée à un cheveu de frapper l'autre voiture ! Un cheveu ! C'était parfait. Je pense même que je n'aurais pas pu faire mieux.

— Une vraie performance, hein ? lance Rachel en souriant.

Elle est étonnée de se sentir rougir des compliments de Julien. Sa joie dépasse de loin celle qu'elle a éprouvée en constatant qu'elle n'était pas tombée dans le ravin. La joie farouche de frôler la mort. Ah ! tout son corps en frémit !

— C'était juste à la limite, pas vrai, ma belle? À la limite... dit Julien en tambourinant sur le tableau de bord.

Rachel le regarde du coin de l'œil. Il a l'air de jubiler.

— Je n'ai jamais rencontré personne comme toi, Julien.

— Parce qu'il n'y en a pas deux comme moi... on a cassé le moule, réplique le garçon avec un clin d'œil accompagné d'un sourire chaleureux, engageant, contagieux.

Rachel a retrouvé son humeur radieuse. Elle tape du bout des doigts sur le volant, au même rythme que Julien sur le tableau de bord.

— C'est fantastique, non? L'audace. Y a rien de tel!

— Non, rien!

Elle écrase l'accélérateur et fait vrombir le moteur sur l'autoroute. Elle veut ressembler à Julien... être le genre de fille que Julien aime. Hardie. Téméraire.

À mesure qu'ils approchent de la maison, quittant l'autoroute pour s'engager sur les routes secondaires et dans les rues de la ville, Rachel ralentit et adopte une vitesse raisonnable.

Elle maîtrise parfaitement la voiture quand elle tourne dans le bout de rue où sont situées sa maison et la cambuse de Julien. Quand elle coupe le contact et retire la clef du démarreur, elle se sent tout à coup épuisée.

Ils sortent de la voiture en silence et claquent les portières. Rachel regarde Julien par-dessus le toit.

— Julien, tout ce qu'on a fait ensemble, c'est extraordinaire, mais… il va falloir que je m'arrête un peu. C'est… beaucoup trop d'un seul coup.

Dans le noir, elle croit entendre battre le cœur de Julien, entendre tourner les rouages de son cerveau.

— C'est sûr. Penses-tu que je vis tout le temps à ce rythme-là ?

Rachel pousse un soupir de soulagement.

— Sans compter que, si c'est amusant de prendre des risques et d'avoir peur, ce qui est encore mieux, c'est de faire peur aux autres…

Chapitre 10

— Elle va arriver d'une minute à l'autre et la journée sera gâchée, dit Odile à son amie Rachel juste avant le début des cours.

Elle parle de madame Roy, leur professeure de français, qui est la plus âgée — et la plus bizarre — de tous les enseignants de l'école.

— Je n'ai jamais détesté un prof de toute ma vie, continue à se lamenter Odile, mais il faut avouer que madame Roy est spéciale.

— Ouais, c'est une façon de la décrire, intervient Karl Dulude, champion de lutte de l'école. Personnellement, je la décrirais autrement.

Rachel, qui n'écoute que d'une oreille distraite, approuve d'un air absent. Son esprit est absorbé par tout ce qui s'est passé au cours des derniers jours.

— Bonjour tout le monde ! lance d'une voix tonitruante madame Roy, qui est pourtant aussi frêle qu'un oiseau-mouche. Je suppose que vous avez pris le temps de bien lire les questions inscrites au tableau.

Elle fait une pause pour se racler la gorge — on dirait le son d'une fraise de dentiste ou le bruit d'un grattoir écorchant le tableau.

— Veuillez donc avoir l'obligeance — que ça vous plaise ou non — de répondre à ces questions d'examen, qui compteront pour un tiers de la note finale. Alors, sortez vos stylos et commencez.

Il y a du mécontentement dans l'air, mais jamais personne n'oserait se permettre de huer madame Roy. Ses représailles sont trop imprévisibles. Souvent, le châtiment n'a pas de commune mesure avec la faute commise.

Un jour, elle a fait exclure temporairement un élève qui mâchait de la gomme en classe. Qui aurait pu deviner que madame Roy avait une sainte horreur de la gomme à mâcher? À son avis, on ne mâchait de la gomme que pour la coller sous les chaises et les bureaux, et répandre partout des microbes. Qui aurait pu croire qu'elle recommanderait une punition aussi sévère? Et qui aurait pu se douter que le châtiment serait appliqué, parce que le directeur et les parents de l'élève la craignaient? Ils l'avaient eue comme professeure!...

«Je me demande si c'est aussi drôle que Julien le dit de faire peur aux gens», pense Rachel au lieu de se concentrer sur ses questions d'examen.

Ses pensées la ramènent sans cesse à Julien et à leur récente discussion. Il disait que c'est beaucoup plus excitant d'effrayer les autres que d'avoir peur soi-même. En fait, c'est un autre genre de peur:

celle d'être découvert pendant qu'on met son plan à exécution, ou après coup. Mais, comme dit Julien, il faut avoir « la tête froide et des nerfs d'acier ».

D'après lui, il n'y a rien comme d'entendre hurler de terreur une personne qui nous a fait du mal, ou qui tout simplement nous embête. Évidemment, rien n'empêche d'effrayer une personne à qui on n'a rien à reprocher.

« C'est cinglé », se dit Rachel.

Tant que ça ?

Julien a essayé de lui tirer les vers du nez à propos des gens de qui elle aimerait se venger. Ça n'a pas donné grand-chose, puisque Rachel n'en veut à personne. Du moins, aucun nom ne lui venait à l'esprit ce jour-là.

Puis il lui a demandé s'il n'y avait pas quelqu'un qu'elle trouvait énervant, désagréable. Évidemment, tout le monde connaît une ou deux personnes du genre. Rachel n'avait jamais pris conscience qu'elle en connaissait beaucoup.

L'une d'elles était madame Roy. Plus Rachel en parlait, plus Julien se montrait curieux. Il voulait savoir comment elle était, ce que Rachel connaissait d'elle, etc., etc.

Rachel s'est aperçue, à sa grande surprise, qu'elle savait beaucoup de choses de madame Roy. D'abord, elle a parlé à Julien de l'exclusion de l'élève qui avait mâché de la gomme. Ensuite, elle avait beaucoup à dire sur le plaisir que prend leur professeure à humilier et à tourmenter les élèves.

Plus elle en parlait, plus elle lui en voulait. Dire qu'elle ne s'en était jamais rendu compte avant d'en parler à Julien !

D'autres choses lui sont revenues à la mémoire. Par exemple, madame Roy n'avait pas seulement horreur de la gomme à mâcher. Elle avait aussi une phobie des insectes, au point qu'elle ne pouvait même pas les voir en photo.

On raconte qu'un jour un élève a eu l'idée de laisser traîner des magazines illustrés de photos d'insectes à la vue de madame Roy. Personne ne sait ce qui est arrivé à cet élève, sauf qu'on n'a plus entendu parler de lui.

— Pst !

Pendant que madame Roy a le dos tourné, Odile attire l'attention de Rachel et lui tend un bout de papier plié en deux. Rachel s'en empare discrètement, juste au moment où madame Roy se retourne d'un bloc. « Cette femme doit avoir un radar », se dit Rachel en posant le menton sur son poing fermé, où est dissimulée la note d'Odile.

Madame Roy scrute la classe d'un œil accusateur et amusé, mais comme elle ne peut trouver de coupable, elle retourne au tableau et ajoute de nouvelles questions.

Rachel quitte des yeux madame Roy un instant pour se pencher sur la note qu'elle déplie et étale sur son livre ouvert. Le message dit : « Pourquoi observes-tu madame Roy comme ça ? C'est bizarre. »

Rachel froisse la note et la laisse tomber dans

son sac. Elle lance à Odile un regard lourd de sens et continue d'observer madame Roy. D'un moment à l'autre, celle-ci va ouvrir le tiroir du bureau pour y prendre une craie. Chaque fois qu'elle écrit au tableau, elle prend le premier bout de craie qui lui tombe sous la main et, en peu de temps, elle trouve qu'il ne vaut rien et prend une nouvelle craie dans le tiroir. C'est presque un rituel. Au début, cette manie faisait rire les élèves, puis avec le temps ils s'y sont habitués.

Rachel prie de tout son être que madame Roy ouvre le tiroir. Mentalement, elle la pousse vers le bureau. Du regard, elle l'incite à ouvrir le tiroir.

« Ouvre-le. Ouvre-le. OUVRE-LE ! »

Les secondes passent. Rachel regarde l'horloge à la sauvette puis revient à sa copie. Elle joue nerveusement avec son stylo, faisant des efforts surhumains pour ne pas regarder l'heure. Elle essaie de se concentrer sur les questions inscrites au tableau et sur les réponses qu'elle est censée écrire sur sa feuille.

Tic tac tic tac…

Ça ne marche pas. Elle regarde encore l'horloge. Zut ! Les aiguilles n'ont pratiquement pas bougé depuis la dernière fois.

Et tout à coup elle entend une voix.

— Rachel Belleau !

Elle s'efforce d'effacer toute expression de son visage et regarde madame Roy.

— Oui ?

— Rachel Belleau, je suis sûre que si je te demandais de m'expliquer ta fascination pour cette horloge, ou pour le temps en général, je trouverais tes explications hautement intéressantes. Mais je ne te le demanderai pas. Je te dirai simplement que, si tu manifestes encore un intérêt inconsidéré pour le temps ou les minutes qui s'écoulent, je me verrai forcée de te déduire chaque fois cinq points de ta note. Compris ?

— Oui, souffle Rachel entre ses dents.

Maintenant elle ne pourra même plus regarder combien il lui reste de temps pour finir son examen… Comme si c'était important !

« Quand va-t-elle ouvrir le tiroir ? se demande-t-elle. Et si mon plan ne marche pas ? Et si la chose reste là sans bouger ? S'il fallait qu'il ne se passe rien ? »

L'intervention de madame Roy ne fait qu'augmenter le supplice de l'attente et lui enlève le peu de concentration qui lui reste.

Tendue comme un ressort, Rachel rive donc les yeux sur sa copie. Elle devine les regards furtifs d'Odile, qui semble dire : « Qu'est-ce qui te prend, pour l'amour du ciel ? »

« Patience, Odile. Tu verras bien. En tout cas, je l'espère. »

L'attente est insupportable. Chaque fois que Rachel pense qu'elle ne pourra pas tenir le coup une minute de plus, l'heure avance… avance.

Julien doit être fou pour trouver ça amusant. Il

n'y a rien d'amusant là-dedans. C'est une vraie torture. Pourquoi avoir laissé Julien l'entraîner dans cette aventure ? « Il ne m'y reprendra plus... »

Et vlan ! Le bruit à peine audible frappe Rachel comme une explosion. C'est le bruit d'une pièce de bois qui glisse sur une autre pièce de bois, puis un son mat. On a ouvert le tiroir du bureau.

Chapitre 11

Le sang qui bourdonne aux tempes de Rachel lui cause un vertige qui risque de la jeter en bas de sa chaise. Quelle sensation !

« Ne regarde pas. Ne regarde pas trop vite. Ne va pas gâcher l'effet de surprise. »

Madame Roy relit les questions rédigées au tableau avec un air satisfait. Quand les pattes velues d'une tarentule commencent timidement leur exploration, que sa tête grotesque pointe à l'extérieur du tiroir à l'insu de la pauvre femme, la scène a quelque chose de comique.

Rachel se retient de toutes ses forces pour ne pas éclater de rire. De sa place, au premier rang, elle voit l'horrible bête poilue émerger du tiroir et passer sur la chaise tout près.

Un à un, les élèves remarquent le regard absorbé de Rachel et le suivent jusqu'à l'insecte. Toutes les pensées sont suspendues, comme accrochées à la toile de la tarentule. Ils savent tous que leur professeure a une peur bleue des insectes. Que va-t-il se passer ?

La bête avance implacablement sur la chaise. Jusqu'où ira-t-elle ? Personne ne le saura jamais, parce que, juste comme elle arrive au milieu du siège...

— Haaaaaaaa ! Hiiii ! Hooooooo !

Madame Roy émet une série de cris perçants, sinistres. Ses hurlements fendent l'air comme si on avait déclenché l'alarme d'incendie. On dirait une sirène humaine.

Et ce n'est pas tout. Devant la classe paralysée, madame Roy jette en l'air tous les papiers qui se trouvent sur son bureau, ses lunettes montent en flèche comme propulsées par ses cris stridents, et on a presque l'impression qu'elle va grimper sur le rebord du tableau.

Puis tout à coup... comme si elle était au bout de son rouleau, toute son agitation prend fin. Madame Roy s'affaisse comme un ballon qui se dégonfle. Doucement, lentement, elle s'effondre sur le sol...

D'abord, toute la classe demeure silencieuse. Puis Alex Landry, qui se vante toujours de connaître les premiers soins et la réanimation cardiaque, se précipite auprès du corps inanimé de madame Roy. Il prend son pouls, écoute sa respiration.

— Elle est seulement évanouie, annonce-t-il. Je vais chercher de l'aide.

— Hé ! attends un peu ! lance une voix du fond de la classe. Où est la tarentule ?

Alex regarde en tous sens, sur le plancher, sous le bureau. Puis, après un hoquet de surprise, il s'aplatit contre le tableau. Les yeux exorbités, il pointe quelque chose du doigt. Tous les regards se tournent dans cette direction. Sous le bureau, la tarentule est affalée sur le dos, les pattes battant l'air. Comme médusés, tous les élèves s'assoient en silence et regardent l'insecte se débattre avec de moins en moins de vigueur, puis cesser tout mouvement.

— Je pense qu'elle est morte, dit quelqu'un.

Un instant plus tard — est-ce la joie de voir un tour si bien réussi, ou le contrecoup du choc ? —, la classe entière est prise d'une hystérie collective. Les éclats de rire attirent aussitôt les enseignants des autres classes qui, à leur arrivée, sont éberlués de voir le corps inanimé de madame Roy dans une classe en délire.

On finit par ranimer madame Roy. Tout le monde, y compris Rachel, a repris ses esprits et se sent soulagé. Une fois l'émoi passé, on se demande comment la tarentule a atterri dans le tiroir de madame Roy.

— Quel coup formidable ! disent les élèves.

— C'est génial, non ? lance Rachel, mêlant ses commentaires aux autres.

Puis elle finit par dévoiler son incroyable secret et, sans un mot, va ramasser le cadavre de la tarentule. Tout le monde en a le souffle coupé.

— Ce n'est qu'une attrape ! dit-elle en la tenant par une patte.

Les cris d'admiration fusent de toutes parts.

— Incroyable ! Incroyable ! ne cesse de répéter Karl Dulude.

— Ça n'a rien de drôle, Rachel, c'est odieux, lui dit Odile après la classe. Ce tour dépassait la mesure.

Baissant la voix, elle ajoute sur le ton de la confidence :

— Et tu n'as pas peur que quelqu'un, par pure méchanceté ou mesquinerie, te dénonce ? Tu serais dans de beaux draps !

— Ça ne m'inquiète pas, répond Rachel en souriant.

Et c'est vrai. Julien lui a expliqué quelque chose qui lui paraît juste. Même si quelqu'un la dénonçait — ce qui est peu probable — elle n'a pas à s'inquiéter car personne, à la direction de l'école, ne pourrait croire qu'elle, Rachel Belleau, a pu faire une chose pareille.

— C'est très particulier, lui avait dit Julien. Des fois, le meilleur moyen de cacher quelque chose, c'est de dire la vérité toute nue. Parce que tu sais quoi ? Eh bien parce que de toute façon personne ne te croira !

Chapitre 12

— Salut !

Le soir de l'incident de la tarentule, Julien surgit de l'ombre et se retrouve sur le perron de la maison de Rachel. Comme d'habitude, il apparaît tranquillement, sans prévenir, sitôt que Rachel a mis le pied dehors.

Ils s'assoient sur les marches et contemplent les étoiles dans la nuit fraîche et claire. Rachel imagine l'avenir, rêvant à de longues marches, au printemps, avec Julien, et à des pique-niques, des journées paresseuses sur la plage qui se prolongent durant les chaudes soirées d'été, avec Julien.

Tout est si agréable. Si calme. Puis Julien rompt le silence.

— C'était super ! Je n'en reviens pas encore. Elle hurlait comme une sirène, lance-t-il en riant de bon cœur.

Rachel, un peu gênée, rougit de plaisir de voir qu'il est content d'elle. Puis, à travers cette sensation douce et enivrante, une pensée lui vient lentement à l'esprit.

— Julien, comment es-tu au courant? Comment sais-tu que madame Roy hurlait?

Julien s'approche tout près d'elle et la regarde avec des yeux pétillants, comme s'il avait une blague ou un secret à lui faire partager. Son silence finit par la mettre mal à l'aise.

— J'étais là, évidemment, lui souffle-t-il à l'oreille. Tu ne penses pas que j'aurais manqué ça, non? J'ai tout vu d'une fenêtre.

Rachel éprouve tout à coup une vague inquiétude. Elle n'aime pas l'idée de se sentir épiée. Elle n'aime pas non plus ce que ça l'incite à penser de Julien.

Puis Julien lui prend la main et son inquiétude s'évanouit comme par enchantement. Après tout, c'est normal qu'il n'ait pas voulu rater ça. Elle regarde leurs mains enlacées et se dit qu'elle n'a aucune raison de se méfier de lui. Il est formidable et elle ne veut pas que ses sentiments pour lui changent.

Soudain, Julien a un petit rire étouffé qui cache une pointe de froideur. Rachel lève les yeux et voit, à la lueur du clair de lune, qu'il serre les mâchoires.

— Pourquoi as-tu tout gâché en disant que ce n'était qu'une attrape? Tu ne pouvais pas tenir ta langue?

Il la regarde avec des yeux vides d'expression et siffle entre ses dents:

— D'ailleurs, pourquoi avoir utilisé une fausse tarentule alors que tu aurais pu en trouver une vraie dans n'importe quelle animalerie?

— Mais... Julien, je ne voulais pas manipuler une vraie tarentule. De toute façon, s'empresse-t-elle d'ajouter dans l'espoir de le dérider, l'effet a été le même. Je veux dire... madame Roy a eu aussi peur.

— Ouais, peut-être, dit-il de mauvaise grâce.

Il retrouve son air de chérubin, mais de chérubin maussade.

— Mais imagine si ç'avait été une vraie tarentule... Elle se serait promenée partout... pour trouver un endroit où se cacher. Qui sait où elle aurait abouti? Ça aurait pu terroriser un tas de gens. Au lieu de ça, la fausse tarentule a fini dans le corridor et ton vieux directeur l'a écrasée du pied.

— Mais quelqu'un aurait probablement tué la vraie tarentule, lui fait remarquer Rachel. Et pourquoi une pauvre bête qui nous a tant fait rire devrait-elle mourir? ajoute-t-elle d'une voix cajoleuse.

Le visage de Julien s'éclaire, comme si le nuage qui l'assombrissait s'était dissipé. Il est redevenu le chérubin rieur.

— D'accord. C'est peut-être un bon raisonnement. Mais je continue de penser que tu aurais dû utiliser une vraie tarentule. De toute façon, après quelques petits exploits du même genre, tu auras réussi ton initiation et on pourra passer à des choses plus sérieuses...

Il se renverse sur les marches, les mains derrière la tête, et ajoute:

— Alors, préparons la prochaine mission.

— Déjà?

— Il n'y a rien comme l'entraînement pour atteindre la perfection, dit-il en souriant. Maintenant, essaie de penser à quelqu'un d'autre qui te déplaît.

Chapitre 13

Le lendemain matin, arrivée très tôt à l'école, Rachel va épingler une note au tableau d'affichage de la grande salle, juste à côté de la grosse armoire à trophées. La note devrait avoir tout un effet. Chose certaine, elle va déclencher une réaction intéressante. Rachel trépigne déjà d'impatience.

Pendant toute la matinée, elle ne tient pas en place. Dès la fin du premier cours, elle se précipite dans la salle et, mine de rien, passe devant le tableau d'affichage. Ça la met en rogne que rien ne se soit encore produit.

Il ne se passe rien non plus à la pause entre la deuxième et la troisième période. Aussi surprenant que ça paraisse, la note est restée épinglée au tableau sans attirer le moindre commentaire toute la matinée, et même pendant une partie de l'heure du dîner.

Puis, tout à coup, tout se bouscule. Christophe Caron — la grande gueule de l'école — l'a remarquée et la nouvelle se répand comme une traînée de poudre. En un rien de temps, une foule est rassemblée devant le tableau d'affichage. Maryse en fait bientôt partie. Éric Campeau se retrouve là aussi, un peu en arrière.

Des rires fusent par intervalles. Plusieurs élèves sont trop abasourdis pour réagir. Comment Éric le timide a-t-il eu l'audace d'écrire une note pareille à Maryse ? Maryse-la-parfaite, la reine de l'école, celle qui d'un regard ou d'un sourire peut dorer la réputation de quelqu'un ou la démolir. Et que va dire Donald Trottier, son ami ? Éric est-il devenu fou, ou quoi ?

C'est qu'Éric a écrit à Maryse tout une note :

Je ne peux plus garder secrets les sentiments que j'ai pour toi.

Je meurs d'envie de goûter à tes lèvres, de presser ton corps contre le mien.

— Oh ! la la ! Ça donne matière à réflexion à une fille ! lance un garçon d'une voix rauque.

— À son petit ami aussi, lance quelqu'un d'autre. Attendez qu'il découvre l'auteur de ce billet doux. Pauvre Éric !

Maryse, la bouche ouverte, se tient au milieu du groupe, l'air hébétée. Quant à Éric, il a une expression tellement cocasse que, s'il y avait un concours à gagner, il le gagnerait haut la main. On a l'impression de voir tourner le mécanisme de son cerveau comme si son crâne était transparent. Il sait bien qu'il n'a pas écrit cette note et, pourtant, il reconnaît son écriture. Intrigué, il se demande à quoi rime ce coup monté qui, à ses yeux, n'a aucun sens. C'est à n'y rien comprendre.

Tout à coup, silence dans la foule... Donald Trottier, l'ami de Maryse, entre en scène.

— Hé ! qu'est-ce que vous faites là, tout le monde ?

L'absence de réponse l'intrigue et son sourire se change lentement en grimace.

— Hé ! qu'est-ce qui se passe ? grogne-t-il.

Quelqu'un lui montre du doigt la note, qu'il s'empresse de lire. Quand il se retourne, son expression ne laisse rien présager de bon. Une même pensée est inscrite sur tous les visages : « Oh ! la la ! Ça ne sera pas beau à voir ! »

Donald arrache la note et, la tenant dans son poing fermé, il se tourne vers Éric.

— Qu'est-ce... Espèce de...

En une fraction de seconde, Donald fonce sur Éric qui se recroqueville, incapable de bouger. Il a une expression de bête traquée.

En trois enjambées, Donald est devant le pauvre garçon, qui en perd ses lunettes avant même que l'autre l'attrape par le collet.

Tout s'est passé à la vitesse de l'éclair, puis tout se met à tourner au ralenti.

Il y a d'abord un gros plan sur l'énorme poing droit de Donald, un poing retenu à son bras musclé de joueur de football, de lutteur redoutable. D'une main il tient Éric par le col de chemise tandis que son poing recule, chargé de toute la force de ses cent kilos, de sa carrure d'armoire à glace. Le poing est dans l'axe du visage d'Éric.

Rachel se tient en retrait et observe la scène, submergée de remords. « Tout ça est ma faute, se lamente-t-elle intérieurement. Mais qui aurait pu se douter que ça prendrait une telle tournure ? Tout ce qui était prévu, c'est que Donald serait furieux et qu'Éric se sentirait très mal à l'aise. Qui aurait pu se douter... ? »

Puis voilà que le poing de Donald inverse sa trajectoire et fonce droit sur Éric, qui n'a aucune chance de l'esquiver.

Rachel ferme les yeux. Elle appréhende ce qui va se passer comme si sa propre mâchoire était en cause. Elle ressent le coup dans tout son corps, sentant non seulement le poing s'abattre sur sa mâchoire, mais résonner douloureusement au creux de son estomac.

Le poing frappe comme une masse. On entend le son mat de la chair contre la chair, accompagné d'un craquement d'os.

Chapitre 14

« Du calme, du calme, lui murmure sa petite voix intérieure. Fais marche arrière ! »

Rachel se force à ouvrir les yeux et à regarder ce qui se passe. Aussitôt, la désagréable sensation de ralenti reprend. Mais cette fois la jeune fille observe les faits réels au lieu d'imaginer ce qui va se passer.

C'est donc un retour au moment où Donald recule le poing et s'apprête à l'abattre de toutes ses forces sur le nez du pauvre Éric.

— Voyons, Donald, c'est un coup monté !

Hein ? Est-ce bien Éric qui a parlé ? Ou plutôt crié ? Oui, comme par miracle, Éric a réussi à prononcer une phrase normale.

Il faut lui rendre justice. Bien d'autres, à sa place, seraient restés muets. Il y en a même qui se seraient caché le visage à deux mains ; et des gars beaucoup plus costauds que lui.

Mais Éric, blême comme un cadavre, ses lunettes traînant par terre plutôt que posées sur son nez, affronte Donald avec une bravoure insoupçonnée.

Donald, surpris, en a le souffle coupé. Il en a presque perdu l'équilibre, d'ailleurs. Il secoue la tête, n'en croyant ni ses yeux ni ses oreilles.

De nouveau, il lève le bras, pendant qu'Éric fait tout ce qu'il peut pour garder son calme.

Que se passe-t-il maintenant? Un copain de Donald, Karl, lutteur lui aussi, se fraye un chemin parmi la foule. Il était tout en arrière quand Donald a lu la note, mais il a vu toute la scène.

Tout en l'observant, Rachel appréhende l'horrible bruit que produira le poing de Donald dans le visage d'Éric. Un bruit sourd? Un bruit sec?

— Donald, Donald! Arrête-toi, bonhomme, lui crie Karl. Le pauvre Éric n'a pas écrit cette note-là. Il ne ferait jamais ça! C'est une farce. Rien qu'une farce plate!

Karl est derrière Donald et essaie de lui mettre la main sur le bras. Donald a l'air éberlué d'un taureau interrompu au moment même où il s'apprêtait à charger. Il a le visage rouge et marbré, et il souffle comme une locomotive.

Et Rachel entend le bruit. Un bruit assourdissant, suivi d'un cri à figer le sang dans les veines.

Mais ce n'est pas du tout le bruit qu'elle attendait. C'est un bruit de fracas, un son fort et creux à la fois, un bruit métallique. Donald a balancé son poing dans un casier, à un poil de la tête d'Éric, et le son se répercute dans toute la rangée de casiers. Il se tient la main et hurle de douleur.

— Hé ! t'es pas brillant, mon vieux ! On ne frappe pas comme ça à mains nues, lui reproche Karl.

Un murmure s'élève de la foule qui jusque-là était silencieuse.

— Ça va, le spectacle est fini ! lance Karl.

Puis, se tournant vers Éric qui essaie de rassembler ses esprits, il lui donne une tape dans le dos.

— Désolé, Éric. Tout ça est un malentendu. C'est fini, à présent. Je suis content que ça ne soit pas allé trop loin.

Éric hoche faiblement la tête, et c'est au tour de Donald de s'excuser.

— Éric, qu'est-ce que je peux dire ? Je me sens idiot. Je t'en dois une, d'accord ? Tu passes l'éponge, et je t'en dois une. Non, je t'en dois deux. Qu'est-ce que t'en dis, hein, Éric ?

— Euh... d'accord. D'accord, articule Éric avec un sourire figé.

— Maintenant, lance Donald avec un air sombre, si j'attrape celui qui a fait ce coup-là, Éric, je le tiens et tu frappes le premier.

Éric rejette la suggestion d'un signe de la main.

— Non, non, Donald. Tu feras ça toi-même.

Il ramasse ses livres, ses lunettes, puis s'éloigne sans se retourner.

— Allez, allez, je vous ai dit que le spectacle était fini. Vous n'avez pas autre chose à faire ? lance Karl sur un ton qui laisse entendre que ce n'est pas une question, mais un ordre.

Donald a passé son bras autour des épaules de Maryse, qui a le teint terreux.

La foule se disperse. Thierry traîne un peu en arrière et regarde Rachel avec une expression qu'elle n'arrive pas à déchiffrer. Colère ? Soupçons ?

Elle s'est sentie terriblement coupable, mais soudain un revirement se produit en elle. Il n'est rien arrivé, après tout. Rien. Même s'il s'en est fallu de peu. « Julien aurait trouvé tout ça passionnant, grisant », pense Rachel. À la seule pensée de la réaction de Julien, toute trace de remords disparaît pour faire place à la satisfaction.

« C'était plutôt drôle, non ? »

— Attendez que je trouve le coupable ! crie encore Donald dans le couloir. Je vais lui régler son compte.

« Il ne me soupçonne pas, heureusement », se dit Rachel. Puis elle entend une voix familière derrière elle.

— Je sais qui a fait ça.

Chapitre 15

— Je sais qui a fait ça, répète la voix.

Rachel pivote sur elle-même et se trouve face à face avec…

— Odile ! lance-t-elle en suffoquant.

Odile, les traits figés comme un masque de marbre, regarde Rachel d'un air accusateur.

— Pourquoi, Rachel ? Pourquoi ? Comment peux-tu faire ça à Donald et à Maryse, nos amis ? Et sans raison ? Quant à Éric, pourquoi lui ? Tu as pourtant tout ce que tu veux, non ?

— Mais je n'ai rien fait, Odile. Ce n'est pas moi ! s'entend dire Rachel d'une petite voix d'enfant prise en défaut.

Elle entraîne Odile dans une classe vide et ferme la porte. Les deux amies s'assoient côte à côte.

— Tu ne m'as pas vue. Tu ne peux rien prouver, dit Rachel.

— Tu ne peux pas savoir comment je me sens, réplique Odile avec une grimace de mépris. Dire que ma meilleure amie a fait une chose pareille !

Elle toise Rachel un moment, avant d'ajouter d'une voix faible:

— Je n'aurais jamais pensé que ma meilleure amie pourrait faire ça.

— Mais, Odile, comment peux-tu prétendre que j'ai écrit cette note?

Rachel a beau s'évertuer à mentir, le cœur n'y est pas et sa voix n'est pas convaincante. Odile l'affronte avec un air de défi.

— Avoue donc, Rachel. Tu oublies que je te connais bien. J'étais là quand tu as imité la signature de ton père, en troisième année, pour pouvoir manquer les cours et aller au zoo, un jour de classe. J'étais là aussi, en cinquième, quand tu as voulu jouer un tour à cette pimbêche d'Émilie Hudon. Tu lui as envoyé une note en imitant l'écriture de sa meilleure amie, Patricia Marois, disant qu'elle avait une robe «quétaine».

Rachel essaie de l'interrompre, de s'expliquer, mais Odile est montée sur ses grands chevaux et rien ne peut l'arrêter.

— Tu oublies que je sais, moi, que tu es très douée, Rachel. Tu as mis fin à ton petit jeu parce que tu te sentais coupable, parce que tu avais peur de te faire prendre. Mais jamais tes victimes ne t'ont soupçonnée.

Après une brève pause, Odile reprend de plus belle.

— Mais tu ne te sens plus coupable et tu n'as plus peur, hein Rachel? Tu ne regrettes pas le tour que tu as joué à madame Roy, ni l'horrible blague que tu as faite aujourd'hui. Rachel...

— ASSEZ, Odile ! éclate Rachel, faisant taire son amie aussi sûrement que si elle l'avait giflée.

Puis elle en profite pour se lancer dans son récit, de peur de ne plus en avoir l'occasion.

— Oui, c'est moi. Je l'admets.

L'air dégoûtée, Odile fait mine de partir.

— Attends, Odile. S'il te plaît, s'il te plaît écoute-moi. Je ne pensais pas... dit-elle en se prenant la tête à deux mains. Je ne sais pas ce qui m'a prise... Ou plutôt, peut-être que je le sais. En tout cas, Odile, je te jure que je ne pensais pas que tout ça arriverait. Je n'ai jamais pensé que quelqu'un risquait d'être blessé, de se faire battre. J'imaginais qu'il y aurait des moments palpitants, puis qu'ensuite tout le monde se tordrait de rire. De toute façon, c'était l'idée de Julien.

— Julien ? s'étonne Odile en penchant la tête de côté d'un air songeur. Mais je ne connais pas de Julien. Veux-tu bien me dire qui est Julien ?

Chapitre 16

— Qui est Julien ? répète en écho Rachel d'une voix caverneuse.

Elle est toute rouge. Elle a l'expression vide d'une hystérique qu'on vient de ramener brusquement à la réalité d'une gifle. Odile la regarde sans sourciller.

— Rachel, c'est ce que je viens de te demander. Ne me pose pas exactement la même question.

— Bien, je... évidemment, ce n'est pas ce que je faisais, Odile.

Rachel se redresse sur son siège et tente par deux fois de parler sans qu'un son sorte de sa bouche.

— C'est juste que... je ne peux pas croire que je ne t'ai jamais parlé de lui. Tu... tu es ma meilleure amie. Es-tu sûre que je ne t'en ai jamais parlé ? Pourquoi me regardes-tu comme ça ?

— Parce que, Rachel... je suis tout à l'envers !

Odile a l'air de n'avoir qu'une envie : fuir à toutes jambes. Rachel a même l'impression d'entendre s'accélérer les battements de son cœur.

— On ferait mieux d'y aller, dit Odile, sinon on sera en retard au cours.

Elle a la voix tendue. Pourquoi? Énervement? Panique? Peur?

— Attends, dit Rachel en lui mettant la main sur le bras.

Odile grimace comme si elle s'était brûlée.

— On a une période d'étude et ce n'est pas la première fois qu'on la manquera, continue Rachel. De toute façon, on achève l'année et tout le monde s'en fiche.

Odile se tient le corps raide, une main posée sur le bureau à côté d'elle. Elle dit, comme si elle faisait un gros effort pour extirper les mots de sa bouche:

— C'est étrange, c'est tout. Tu ne me parles pas de lui, puis tu fais semblant de ne pas t'en rappeler.

Rachel doit reconnaître que c'est étrange, en effet. Pourquoi n'a-t-elle jamais parlé de Julien? Il doit bien y avoir une explication. C'est peut-être...

— C'est peut-être parce que tout est arrivé trop vite et... et Julien est tellement... imprévisible.

— Imprévisible?

— Oui, très. Mais aussi très, très attirant. Je ne me suis jamais sentie comme ça avant.

Odile s'est rassise et Rachel se met à lui parler de Julien. Au bout d'un moment, elle oublie la présence de son amie et ne pense plus qu'à Julien... C'est comme s'il était là... comme s'il n'y avait que lui au monde.

— Bon, ça va, j'en ai une assez bonne idée ! coupe Odile.

Comme si elles venaient de très très loin, du fond d'un tunnel, les paroles d'Odile ramènent Rachel à la réalité.

— Donc, il est imprévisible... et attirant. Surtout imprévisible, répète Odile en passant à plusieurs reprises sa langue sur sa lèvre inférieure avant de continuer. Mais... tout ça est tellement imprévisible, Rachel... que c'est plutôt bizarre.

— Pourquoi ?

— Bien... commence Odile d'une petite voix, je continue de penser que c'est bizarre que tu ne m'en aies jamais parlé, malgré les raisons que tu donnes. Une autre chose qui cloche, poursuit Odile d'une voix plus ferme, c'est qu'il prétend habiter chez ses grands-parents pendant qu'il répare la maison. Alors, comment se fait-il qu'il ne vienne pas à la polyvalente ? Il aura beaucoup de rattrapage à faire, non ?

Pourquoi Julien ne vient pas à la polyvalente ? Bonne question !

— Bien... peut-être que ses parents n'y attachent pas trop d'importance et qu'il a besoin d'un répit. Tu n'en ferais pas autant à sa place ? De toute façon, l'année achève et plus grand monde ne se soucie des diplômes, de nos jours.

Odile n'a pas l'air convaincue.

— Il faut quand même qu'il finisse son secondaire, Rachel.

— Peut-être qu'il s'est organisé avec l'école, je ne sais pas. Je vais lui demander.

— Il y a autre chose, aussi, l'interrompt Odile comme si elle ne l'avait pas entendue. Puisque vous êtes devenus si proches soudainement — et je trouve que c'est très soudain, Rachel — comment ça se fait qu'il ne t'a pas présenté ses grands-parents ? Il l'a fait ?

— N... non. Mais il peut y avoir des tas de raisons... Peut-être qu'il n'y a jamais pensé, ajoute bêtement Rachel.

— Qu'est-ce qu'il a comme voiture ?

— Je ne sais pas. Tu sais bien que je ne fais pas attention aux voitures.

— Alors, de quelle couleur est-elle, Rachel ? Est-elle grosse, petite ? Plus grande qu'une boîte à pain ?

Rachel commence à donner des signes d'impatience.

— Écoute, Odile. Tu te demandes pourquoi je ne t'ai pas parlé de lui avant ? Eh bien, je regrette de t'en avoir parlé aujourd'hui ! C'est presque un interrogatoire !

— Ne t'énerve pas, Rachel. Je suis sûre que tu commences à le trouver louche, lui et toute son audace.

Rachel doit admettre qu'Odile a raison. Elle a un petit sentiment désagréable au creux de l'estomac. Pourquoi faut-il qu'Odile pose toutes ces questions et vienne ternir son beau rêve ? L'espace d'un instant, elle sent monter en elle de la haine pour Odile.

— Rachel, il y a plein de choses bizarres à propos de ce Julien. Il a l'air tellement mystérieux que c'en est louche, ou…

— Ou quoi ?

— Ou… je ne sais pas.

Chapitre 17

— Salut !

Rachel entend la voix aussitôt qu'elle met le pied sur le perron. Elle fait volte-face. La voix a surgi de la nuit sans prévenir... comme si elle l'avait imaginée.

Comme d'habitude, aucun bruit n'a annoncé l'arrivée de Julien. Aucun bruit de pas sur le sentier de gravier, aucun bruissement dans l'herbe.

Rien.

Ça ressemble tout à fait à Julien. Et lui ne ressemble à personne d'autre. Il regarde Rachel et ses yeux brillent au clair de lune... comme les yeux des loups-garous dans les vieux films d'horreur.

« Comment se fait-il que ça ne m'ait jamais dérangée, sa façon de surgir comme une apparition ? » Encore une fois, Rachel sent monter en elle une pointe de ressentiment envers Odile. « Si elle n'avait pas posé toutes ces questions, aussi... »

Mais Julien est là devant elle, souriant comme d'habitude de son sourire moqueur, enjoué.

— Tu veux qu'on s'assoie sur le perron, Rachel, et qu'on regarde les étoiles ?

— Pourquoi pas ?

Pendant qu'ils s'installent, Rachel jette un coup d'œil à la maison d'à côté. Ses fenêtres aux volets fermés ont l'air plus mornes que jamais.

— Comment avancent tes travaux ? Achèves-tu l'intérieur ?

Julien a l'air ennuyé.

— Oh ! oui, mais il y a beaucoup à faire et... (il émet un long bâillement)... je n'ai pas envie de parler de ça !

Il prend Rachel par la main en souriant et la regarde dans le blanc des yeux.

— C'était vraiment super, aujourd'hui, non ? Ton petit billet doux a fait du grabuge.

— Ouais. Je ne sais pas si c'était aussi amusant que tu le dis. Il y en a qui étaient vraiment fâchés.

— Vraiment fâchés, répète Julien en l'imitant. Ce gros crétin prêt à frapper... S'il avait été assez intelligent pour réfléchir un peu, rien ne serait arrivé.

Rachel le regarde, d'abord incrédule, puis de plus en plus horrifiée. Julien continue comme si de rien n'était.

— Réfléchir. Ha ! Les gros nigauds de son espèce ne savent pas ce que c'est. Et sa petite copine était gênée qu'on puisse croire qu'elle faisait battre le cœur d'Éric. Mais Éric s'en est bien tiré, tu ne trouves pas ?

Julien met quelque temps avant de prendre conscience du silence... et de l'expression terrifiée de Rachel.

— Hé ! qu'est-ce qui se passe ? demande-t-il d'un air désinvolte.

— Comment sais-tu tout ça ? demande Rachel d'une voix tremblante. Tout ce qui est arrivé aujourd'hui ? C'est... c'est comme si tu avais été là, comme si tu avais tout vu. Mais tu ne peux pas...

— Peut-être que j'y étais.

— Tu n'as pas pu observer de loin. Ils ne laissent personne rôder autour de la polyvalente. C'est impossible...

— Eh bien, dit Julien avec son mystérieux sourire, peut-être que j'étais là, et peut-être que non. Ou peut-être que j'y étais en pensée.

À son air, Rachel comprend qu'il ne dira rien. Elle essaie une autre tactique.

— Pourquoi est-ce que tu ne m'appelles jamais, comme les autres garçons ? Tu te contentes d'apparaître. Pourquoi est-ce qu'on ne sort jamais vraiment ensemble ?

Julien répond d'une voix décontractée, avec une pointe de sarcasme :

— Comme tu peux l'imaginer, il n'y a pas de téléphone à la maison.

— Mais tu ne m'appelles jamais de chez tes grands-parents et tu ne m'invites jamais chez eux.

Julien ouvre les mains et hausse les épaules.

— Je ne suis jamais chez mes grands-parents. Je suis toujours ici. De toute façon, as-tu vraiment envie d'aller chez eux ? Pour prendre le thé, ma chère ? dit-il en imitant la voix d'une personne âgée.

— Au fait, Julien, comment viens-tu jusqu'ici, pour travailler à la maison ?

Julien montre du doigt ses bottes.

— À pied !

Puis il secoue la tête et ajoute :

— Dis donc, Rachel, es-tu du genre qui aime les grosses bagnoles de luxe ? Eh bien, je n'en ai pas. Et je ne pensais pas que c'était ton genre.

— Ce n'est pas « mon genre ». Et n'essaie pas de détourner la conversation. Tu ne viens pas à la polyvalente — tu n'es pas censé étudier, comme tout le monde ? Odile a raison. Tu es vraiment bizarre !

Sans trop comprendre pourquoi, Rachel se sent si nerveuse et exaspérée qu'elle est au bord des larmes. Julien la regarde avec une expression des plus étranges.

— Odile ? Tu parles de ton amie Odile, je suppose. Comme tout le monde le sait, même une meilleure amie peut être jalouse. Surtout si elle n'a pas de petit copain en ce moment. Et Odile n'en a pas, hein ?

— Non, répond Rachel en laissant couler doucement ses larmes.

Julien lui relève le menton.

— Ne pleure pas. Ce n'est pas ta faute. Tu vois, il y a maintenant un malentendu entre nous, et tout ça à cause d'Odile. Parce qu'elle est jalouse. Et toi et moi, on sait ce qu'on doit faire d'une amie jalouse. S'en débarrasser !

Chapitre 18

— Ça ne sera pas facile de se débarrasser d'Odile.

Rachel inspire profondément et s'essuie les yeux du revers de la main. Elle a les idées totalement confuses. Elle en veut à Odile, c'est sûr. Mais elle n'est pas certaine de lui en vouloir tant que ça.

Julien se laisse basculer en arrière, les mains derrière la tête.

— Oh ! t'en fais pas ! Ce n'est pas aussi difficile que tu penses. Il suffit, pendant quelques jours, de faire comme si elle n'existait pas. Elle va comprendre et s'éclipser.

— Mais…

— Pas de mais, Rachel. Cette fille est une peste, admets-le. On s'entendait bien tous les deux, non ? Et cette espèce de jalouse est venue tout gâcher. Eh bien ?

— C'est vrai, murmure Rachel.

Les choses prennent une tout autre dimension quand Julien les explique.

— Et puis, Rachel, continue Julien de sa voix ensorceleuse, une amie qui vient troubler ta tranquillité d'esprit et ton bien-être n'est pas une amie, et elle ne mérite pas que tu la traites comme telle.

— Tout ça... est tellement dur, dit Rachel.

Après tout, Odile est sa meilleure amie.

Elle regarde Julien. Il a le regard fixe. Il ressemble si peu aux gens qu'elle connaît. En comparaison, tous ses amis, tous ses camarades semblent petits, ennuyeux, fades, inintéressants. Et dire qu'Odile a insinué qu'il n'existait pas. Ha! Comparé à Julien, personne d'autre n'existe.

Rachel regarde Julien dans les yeux, et son idée est faite.

— Je crois que je vais laisser tomber Odile.

— Là tu parles! se réjouit Julien. Je suis content de voir que tu as compris à qui tu peux faire confiance.

Il éclate de rire, puis reprend vite son sérieux.

— Après ce qu'elle a fait, penses-tu que c'est suffisant de l'ignorer?

— Hein?

— Tu vois où je veux en venir? dit Julien avec un petit sourire en coin.

— Quoi? Évidemment, Julien, que c'est suffisant.

Il semble sur le point de dire quelque chose, mais s'arrête. Son regard devient plus hésitant.

— Bon, d'accord. Disons que ça suffira. Alors parle-moi des gens que tu connais à la polyvalente. Qui est-ce que tu trouves détestable, ou stupide, ou snob, ou cruel?

Sur le coup, Rachel ne trouve rien. Elle n'a vraiment aucun ennemi. C'est du moins ce qu'elle croit quand Julien n'est pas dans les parages. Dès qu'il est là, les pires idées lui viennent en tête. Elle découvre qu'il y a des gens qui la font enrager. Vraiment enrager.

— Il y a Diane Robert, dit-elle.

— Oh ! continue ! l'encourage Julien. Elle est méchante ? Blessante ?

— Non, pas vraiment. Elle est plutôt brusque que méchante, plutôt prétentieuse que blessante.

— Oh ! oh ! et qu'est-ce que ça te fait ?

— Ça me rend furieuse.

— Et pourquoi est-elle si prétentieuse, cette Diane ?

— Bien... c'est une excellente cycliste. Elle fait de la compétition. Mais la grosse affaire, c'est le patin à roues alignées. Elle fait tout le temps des courses, gagne des prix. Elle en parle tout le temps.

— Et elle est si bonne que ça ? Comment le sais-tu ? Tu as déjà patiné avec elle ?

— Juste une fois. Elle fanfaronnait, cette fois-là. Tu comprends, à cause de mon activité de meneuse, je ne voulais pas risquer de me blesser. Elle n'arrêtait pas de dire que ça l'emmerdait de patiner avec une poule mouillée. Alors, elle prenait les devants et faisait toutes sortes d'acrobaties.

Julien a un petit rire d'appréciation.

— Depuis, tu as laissé tomber l'équipe des meneuses. Dommage que tu ne l'aies pas fait avant: tu aurais pu patiner pour vrai avec Diane et l'obliger à faire ses preuves.

Julien retrousse les coins de la bouche et grimace un sourire.

— Voilà ce qu'on va faire... pour vérifier si Diane est aussi bonne qu'elle le pense. Elle doit s'entraîner beaucoup, non?

— Tout le temps! Chaque jour. Les fins de semaine, elle est la première dans le parc avec ses patins aux pieds.

— La première, hein? glousse Julien. Je m'y connais un peu en patins à roues alignées. Qu'est-ce que tu dirais si, en allant patiner, ton amie Diane trouvait une grande flaque d'huile au beau milieu du sentier?

Julien se met à rire aux éclats.

— Je veux dire... une très grande flaque d'huile à moteur bien épaisse, juste au bas de la pente, dans le parc. Qu'est-ce que tu en penses? Est-elle assez bonne pour se tirer d'affaire? Ou va-t-elle simplement s'écraser?

— Voyons, Julien. Personne ne pourrait s'en tirer sans tomber, parce que...

— On pourrait! coupe Julien.

— L'huile et les patins à roulettes ne vont pas ensemble. C'est une combinaison mortelle. Et si on ajoute à ça la vitesse...

— Il n'y a qu'un moyen de le savoir! pouffe Julien.

Il a un éclat de rire sonore qui irrite vraiment

Rachel. Repoussant une mèche de cheveux qui lui tombe dans les yeux, elle rétorque :

— Eh bien, on ne le saura pas !

Julien se tord de rire.

— Voyons, Rachel, ne sois pas modeste. Tu sais bien que tu es prête pour des choses plus sérieuses. Les tours de bébé, c'est fini, ha ! ha ! ha !

Rachel voit Julien se transformer à vue d'œil. C'est comme si elle voyait sa vraie nature. Ce n'est plus le gentil chérubin, mais une affreuse créature.

— C'est horrible ! Tu es un monstre ! éclate-t-elle. Ton plan est très dangereux. C'est fou de croire que je pourrais faire ça.

Julien rit maintenant comme un vrai fou. Et Rachel s'entend ricaner avec lui, de façon presque hystérique. Tout cela semble irréel.

— Oh ! Rachel, je parie que tu y as déjà pensé ! Il y a une boîte d'huile à moteur toute neuve dans le garage.

Julien cesse de ricaner et reste silencieux. Quand il ouvre la bouche de nouveau, une peur cinglante traverse Rachel.

— Rachel, Rachel, Rachel, chantonne Julien. Tu ne trouves pas ça divertissant ? Et si on mettait Diane à l'épreuve ? Disons que tu étends de l'huile sur le sentier de patins à roulettes, et disons que quelqu'un trafique les freins de sa bicyclette, ou ceux de sa voiture…

Encore une fois, Julien éclate d'un rire incontrôlable.

Chapitre 19

Julien se calme et regarde Rachel. Elle s'attend à ce qu'il dise quelque chose d'horrible, et ça doit paraître dans ses yeux.

— Oh ! voyons, Rachel ! C'est quoi, ce regard-là ? Arrête ! Quoi ?... Tu penses vraiment que je pourrais détraquer une voiture ? Non. Jamais de la vie.

Il a retrouvé son sérieux.

— C'est vrai que j'ai pris quelques cours de mécanique dans mon ancienne école. Ça me passionnait tellement que je passais des heures et des heures à bricoler des voitures. Très vite, le bruit s'est répandu que j'étais très bon et des gens ont commencé à m'amener leur voiture pour que je la répare. Et ils me payaient. Ils me faisaient confiance et, comme ils me traitaient bien, moi aussi, je les traitais bien. Jamais je n'aurais voulu les mettre en danger.

Il a l'air sincère. Rachel se rend compte qu'elle retenait son souffle et elle pousse un grand soupir de soulagement. Et Julien ajoute, avec le sourire qui le caractérise :

— Sauf une fois. J'avais travaillé très dur toute la journée sur les freins d'un gars, pour qu'il puisse sortir avec sa copine ce soir-là. J'étais sous la voiture, la graisse me coulait partout et j'avais faim. Pendant ce temps-là, il était tranquillement assis et mangeait un paquet de petits gâteaux.

Julien fait une pause, baisse la voix et continue, plus calme.

— Tu vois ce que je veux dire ? Il y a deux gâteaux dans un paquet.

Rachel acquiesce.

— Je n'ai rien dit. Il mangeait un gâteau sans même penser à m'offrir l'autre. Je me disais que c'était un beau salaud. Mais moi, j'étais un bon gars. Alors, avant qu'il entame le deuxième, je lui lance : « Hé, bonhomme, je meurs de faim. Je pourrais avoir ton autre gâteau ? » Et tu sais ce qu'il m'a répondu ? Il m'a dit : « J'ai faim, moi aussi. »

Julien glousse.

— Et il a pris une grosse bouchée, puis une autre, puis une autre. En un rien de temps, il a tout englouti. Et moi, j'ai fini de réparer son auto... mais avec quelques petites touches personnelles.

Julien affiche un large sourire, comme s'il se rappelait une vieille blague.

— S'il n'avait pas mangé le deuxième gâteau, peut-être qu'il se serait rendu chez lui.

— Tu as trafiqué ses freins parce que tu étais fâché qu'il ne t'ait pas donné un gâteau ?

— Rien ne sert de se fâcher. Il faut se venger,

glousse-t-il en tapant des mains.

Rachel se relève d'un bond.

— C'est dégoûtant ! Tu es un vrai monstre !

Julien est plié en deux de rire.

— Regarde-toi donc. Ha ! Ha ! Ha ! Tu es toute rouge !

Il jette un coup d'œil à Rachel et rit de plus belle.

Rachel reste là sans rien dire, de plus en plus dégoûtée, écœurée, horrifiée. Comment a-t-elle pu croire que ce monstre tordu était le garçon de ses rêves ?

Julien se tient les côtes en essayant de s'arrêter de rire. Il a les yeux pleins d'eau, il prend de grandes inspirations, puis il pouffe encore. Finalement, il arrive à se maîtriser.

— Tu ne crois pas vraiment que j'ai fait ça, hein ? Trafiquer les freins ?

Puis il ricane encore.

— Oui, je l'ai fait. Non, je ne l'ai pas fait. Oui, non. Oui, non.

Il continue à chantonner de façon exaspérante, en imitant la voix de Rachel.

En son for intérieur, Rachel est convaincue qu'il l'a fait. Mais à voir l'hilarité prolongée, irritante de Julien, elle en est moins sûre. Peut-être après tout qu'il ne l'a pas fait. Peut-être qu'il prend plaisir à inventer des histoires et à les faire croire à quelqu'un.

— Même si tu ne l'as pas fait... rire d'une histoire pareille prouve que tu es tordu !

Julien s'arrête subitement de rire.

— Tu te poses des questions, hein ? Tu te demandes jusqu'à quel point je suis malade ? À ta place, je n'attendrais pas de le découvrir. Pense à l'huile à moteur dans le garage, Rachel.

Hors d'elle, Rachel entre dans la maison en claquant la porte.

Il a raison. Elle ne sait pas jusqu'à quel point il est malade. Et elle n'a pas envie de le savoir.

Mais... tendre un piège à une fille comme Diane ?

L'idée fait son chemin et Rachel en éprouve aussitôt des remords de conscience. Diane est-elle si brusque et si prétentieuse que ça ? N'est-ce pas plutôt elle, Rachel, qui la croise parfois sans la saluer ? Elle se promet une chose : elle ne fera jamais rien pour causer un accident à Diane.

Une heure plus tard, elle va jeter un coup d'œil dehors. Soulagée de voir que Julien n'est plus affalé sur les marches, elle sort et... se dirige vers le garage.

Elle allume la lumière et fouille du regard les étagères poussiéreuses, espérant ne pas trouver la fameuse boîte d'huile à moteur. Mais il y a bel et bien une boîte métallique rutilante sur l'étagère du bas, une boîte d'huile à moteur. Puis un éclair se fait dans sa tête. Julien n'a pas seulement deviné. Il connaissait l'existence de cette boîte d'huile parce qu'il est venu fureter par ici... ou peut-être qu'il l'y a mise lui-même.

À cette idée, elle a un haut-le-cœur. Ce garçon donne la chair de poule. Et s'il fallait qu'il trafique les freins de la bicyclette de Diane, ou de sa voiture ? Quelque chose lui dit que Julien est assez méchant et assez fou pour le faire.

Elle prend la boîte d'huile, éteint la lumière et sort du garage.

Une fois dans sa chambre, elle pose la boîte sur la commode. Toute la nuit, elle se torture les méninges, affreusement indécise. Si elle ne tend pas de piège à Diane, celle-ci sera à la merci de Julien. Par contre, l'idée de la mettre délibérément en danger et de lui tendre elle-même un piège est impensable.

Pourtant, au petit matin, Rachel met des verres fumés, s'enroule une vieille écharpe autour du cou et enfile un vieux paletot de son père. Elle se regarde dans le miroir et, satisfaite de son déguisement, elle glisse la boîte d'huile à moteur dans la grande poche du manteau.

Puis elle se dirige vers le parc, où Diane ne tardera pas à s'entraîner.

Chapitre 20

Rachel est un vrai paquet de nerfs en arrivant à son premier cours. Elle est tentée de suivre le plan de Julien et de ne pas faire de cas d'Odile, mais elle ne peut tout simplement pas. Odile est sa meilleure amie, et elle va s'asseoir à côté d'elle.

— Rachel, on dirait que tu vas tomber en morceaux. Qu'est-ce qui se passe ? Tu as parlé avec ton ami Julien et découvert qu'il n'est pas aussi sensationnel que tu le crois ?

— Quelque chose du genre. Si seulement il n'y avait que ça...

Rachel jette un regard circulaire dans la classe. Pas de Diane. Pourvu qu'elle soit simplement en retard, ou qu'elle ait le rhume. Tout, sauf ce qu'elle craint.

— Rachel, dis-moi quelque chose.

— Odile, laisse-moi tranquille, tu veux ?

Diane vient de faire son entrée... en boitant.

Le cœur de Rachel cesse de battre, puis repart en accéléré. Elle tend l'oreille pour entendre ce que

Diane raconte à sa copine.

— Ce matin... une espèce d'imbécile... dans cette flaque grasse...

Rachel a envie de se boucher les oreilles.

En boitillant, Diane va s'asseoir près d'elle et lui fait un sourire.

— Salut, Rachel, comment ça va ?

Puis elle se glisse sur le banc tout en parlant à sa copine. Rachel voit un énorme bleu et une longue égratignure sur sa cuisse gauche.

— J'ai eu de la chance, continue Diane. Ç'aurait pu être pire. J'ai réussi à sauter sur la pelouse avant de glisser dans l'huile. J'aurais vraiment perdu la maîtrise. Je ne comprends pas ce que cette huile faisait là, dit-elle d'un air songeur. Ni pourquoi l'imbécile qui l'a répandue n'a pas eu la courtoisie de tout nettoyer. En tout cas ! Je suppose que je ne le saurai jamais, dit-elle avec un léger frisson.

Rachel regarde Odile, qui l'observe avec des yeux immenses, le visage pâle comme celui d'un cadavre.

— Qu'est-ce qu'il y a, Odile ? murmure Rachel.

— Attention, tout le monde ! ordonne le professeur.

Rachel souffle de nouveau sa question, mais Odile se contente de hocher la tête et d'ouvrir son cahier.

Pendant tout le cours, Rachel a les mains moites et sent son cœur palpiter. Elle n'entend rien de ce que dit le professeur. Elle a l'estomac noué en pensant à Diane, puis à Odile, et de nouveau à Diane, et encore à Odile.

À la fin du cours, elle est tellement mal qu'elle a envie de vomir. Pendant que les élèves sortent de la classe et que Diane les suit en claudiquant, elle reste à son banc.

Odile n'a pas bougé non plus. Quand la classe est vide, elle dit à Rachel :

— Comme j'allais te le dire... je ne peux pas en croire mes yeux.

— Qu'est-ce qu'il y a, Odile ? demande Rachel à voix basse, mais avec tellement d'insistance que c'est comme si elle avait crié.

— Rachel, je passais par hasard près du parc en promenant mon chien, ce matin, et je t'ai vue. Je t'ai suivie dans le parc. Veux-tu me dire ce que tu faisais là d'aussi bonne heure ?

Rachel peut voir la tension sur le visage d'Odile.

— Mais... je ne suis pas allée près du parc ce matin, Odile. Tu dois te tromper.

— Ça suffit, Rachel ! Je ne ris pas. Penses-tu que je n'ai pas reconnu ta vieille écharpe, celle que je t'ai donnée en troisième année ?

Rachel se sent comme un pneumatique qui se dégonfle.

— C'était Julien, dit-elle d'une voix monocorde.

Elle raconte alors toute l'histoire à Odile.

— Alors tu vois... conclut-elle. J'avais peur que quelque chose de pire arrive à Diane et je ne savais pas quoi faire. Alors je suis allée dans le parc. Mais je n'ai pas répandu l'huile. J'en étais incapable.

Elle se met la tête dans les mains et continue d'un air découragé :

— Julien me surveille tout le temps. Je ne sais pas comment ça se fait, mais il sait tout. Il devait savoir que je n'étais pas allée jusqu'au bout, et il a terminé le travail à ma place.

Pour toute réponse, c'est le silence. Rachel lève la tête et voit qu'Odile la dévisage, l'air mi-déconcertée, mi-horrifiée.

— Odile... tu ne me crois pas ?

— Te croire ? rétorque Odile en écarquillant les yeux. Je ne sais plus quoi croire, Rachel. Je me demande si tu es menteuse ou folle, ou les deux à la fois.

— Mais... je ne comprends pas.

— Rachel... ce n'est pas Julien qui a versé l'huile dans le sentier, ce matin. C'est toi. Tu as versé toute la boîte d'huile à moteur, puis tu as jeté le contenant vide dans une poubelle et tu t'es cachée derrière un arbre pour surveiller Diane... qui a failli avoir un terrible accident.

Horrifiée, Rachel ne peut que hocher la tête et prononcer en silence : « NON. »

— Cesse de nier, Rachel. Je ne sais pas pourquoi tu as fait une chose pareille, mais c'était toi, personne d'autre que toi. JE T'AI VUE.

Chapitre 21

Plus tard, chez elle, Rachel se regarde dans le miroir de la salle de bains. Les mots d'Odile la hantent.

« C'était toi. C'était toi. JE T'AI VUE. »

Son monde a soudain basculé. Qui est-elle ? Quelqu'un qui ne sait même plus ce qu'elle fait. Dans son souvenir, elle s'apprêtait à verser l'huile, mais s'est arrêtée au dernier moment, avant même qu'une goutte n'atteigne le sol. Pourtant, quelque chose est arrivé à Diane, et Odile a vu Rachel.

L'image que lui renvoie le miroir est celle d'un visage aux yeux hagards, au regard torturé.

« Est-ce que je deviens folle ? se demande-t-elle. Mon souvenir est si clair. Hé ! minute ! Comment ai-je pu oublier ça ? Je me souviens d'avoir remis la boîte d'huile sur l'étagère. »

Elle enfile un chandail et court vers le garage, priant mentalement pour que la boîte soit à sa place.

Elle tire la chaînette de l'ampoule d'une main tremblante.

Est-ce la troisième ou la quatrième tablette ? Il lui semble bien que c'était la troisième... Rien. Elle cherche sur la quatrième... rien non plus.

Elle est hors d'elle. Elle bouscule frénétiquement le fouillis de boîtes et d'outils, projetant des objets sur le sol.

— Tu cherches quelque chose ?

Rachel se retourne brusquement et se trouve face à face avec Julien.

— Qu'est-ce que tu as fait de la boîte d'huile à moteur ? Qu'est-ce que tu en as fait ? hurle-t-elle.

— Oh ! oh ! sais-tu que tu es belle quand tu es en colère ?

Rachel le repousse de toutes ses forces. Il recule de quelques pas.

— Hé ! c'est pas gentil, ça. Arrête !

— J'ai envie de te couper en petits morceaux et de te jeter à la poubelle !

Julien se contente de sourire.

— Me jeter à la poubelle comme tu as fait avec la boîte d'huile à moteur... après l'avoir vidée dans le sentier ?

— NON ! crie Rachel en secouant énergiquement une tablette chargée de boîtes et de bouteilles qui tombent par terre avec fracas.

— Rachel, pourquoi t'énerves-tu autant ? Ce qui est fait est fait. Tu ne peux pas revenir en arrière, alors n'essaie pas. D'ailleurs, tu as été formidable. Il n'y a pas eu plus qu'une égratignure. Et personne ne le saura.

— Odile pense…

Julien l'interrompt d'un signe de la main.

— Je sais ce que pense Odile. Tu peux lui faire changer d'avis, la convaincre qu'elle s'est trompée. Elle va finir par te croire, parce que c'est ce qu'elle souhaite.

— Je ne sais plus quoi penser. Sérieusement, qu'as-tu fait de la boîte d'huile ?

— Oh ! arrête, Rachel ! Tu essaies de me faire porter le blâme parce que tu n'es pas fière de toi. Moi, je te trouve super. Tu étais une vraie sainte nitouche, avant.

Rachel s'empare d'une clé anglaise qu'elle cogne contre une tablette, provoquant un cliquetis de boîtes et d'outils entrechoqués.

— C'est moi que tu voudrais frapper plutôt que l'étagère, hein ?

— Tu sais que je ne suis pas allée dans le parc et que je n'ai pas causé d'accident ! C'est toi qui l'as fait, rétorque-t-elle en frappant de nouveau la tablette.

Julien s'appuie contre la voiture et, souriant toujours, dit nonchalamment :

— Bien… ta meilleure amie pense qu'elle t'a vue. Elle doit le savoir.

Chapitre 22

Julien va s'asseoir sur le capot de la voiture.

— Dis donc, Rachel, il ne t'arrive jamais de penser que je suis le produit de ton imagination ?

Son petit sourire narquois a de quoi faire rager.

— Tu as la tête farcie de tours pendables, le sais-tu ? lui lance Rachel avec fureur. Eh bien moi, j'en ai assez. Si tu es le fruit de mon imagination, je vais arrêter de t'imaginer, parce que je veux te voir disparaître.

Elle regarde Julien en souhaitant de toutes ses forces le voir se volatiliser. Si c'est la preuve qu'elle l'a imaginé, tant pis, elle s'en fiche. Tout rentrera dans l'ordre quand il aura disparu.

Mais elle a beau le dévisager intensément, il reste là, souriant avec insolence.

— Voyons, Rachel, ne perds pas les pédales. Tu penses me faire disparaître par enchantement ? C'est insensé. Tâche de revenir sur terre.

Julien saute sur ses pieds et se met à faire les cent pas comme un animal en cage, sans quitter Rachel des yeux.

— Parlons de choses plus intéressantes. De choses réelles. Tu sais, j'ai été déçu ce matin. Les choses ne se sont pas passées comme elles auraient dû.

Prenant un air désolé, il continue :

— Pourtant, tu avais fait beaucoup de progrès. Tu promettais. Mais tes hésitations montrent que tu as encore besoin de te faire les nerfs.

Il cesse de marcher et se frotte les mains.

— De toute façon, la flaque d'huile, ce n'était pas un grand défi pour Diane. Je pense qu'il va falloir trafiquer les freins de sa bicyclette.

Épouvantée, Rachel écoute Julien lui expliquer comment dérégler les freins d'une bicyclette. Finalement, sans dire un mot, elle sort du garage. Julien lui emboîte le pas. Elle marche de plus en plus vite, mais n'arrive pas à le distancer. Elle lui crie :

— Je ne le ferai pas. Je ne vais pas dérégler les freins de la bicyclette de Diane.

Elle entend Julien ricaner dans le noir et se demande comment elle a pu le trouver charmant.

— C'est ça le plus beau, Rachel. Tu vas le faire. Parce que tu ne pourras pas t'en empêcher.

Ils sont arrivés devant la maison. Rachel lui fait face, mais il fait si noir qu'elle le distingue à peine.

— Non, dit-elle. Et j'ai fini de jouer avec toi. Je vais prévenir la police.

Elle lui tourne le dos, monte les marches du perron et entre dans la maison. Elle claque la porte derrière elle et s'y adosse, épuisée.

À travers la porte, elle entend les cris de Julien. À chaque mot, elle revoit son visage sarcastique.

— Tu vas le faire, Rachel, et tu n'iras pas à la police. Parce que tu sais la vérité. Je ne t'ai jamais demandé de provoquer cet accident. Tu l'as fait toi-même. Tu t'es laissée prendre au jeu et tu ne peux plus t'en passer. Et tu ne te contenteras pas de trafiquer les freins de la bicyclette. Va te regarder dans le miroir, Rachel. Tu vas voir une fille occupée à planifier des crimes de plus en plus importants !

Elle n'en peut plus de l'entendre vociférer. Elle monte en courant dans sa chambre et ferme la porte. Enfin, elle n'entend plus sa voix. Elle regarde autour d'elle les objets familiers : ses gros pompons de meneuse, les affiches de vedettes rock au mur, la photo de Thierry — elle l'ignore depuis deux semaines, mais elle ne l'a pas oublié. Toutes ces choses lui rappellent sa vie à l'école. La vie d'une fille enjouée, populaire. La vie qu'elle menait il n'y a pas si longtemps... avant de rencontrer Julien.

D'autres choses, dans sa chambre — son lit à baldaquin, le miroir au-dessus de sa coiffeuse — sont là depuis qu'elle est toute petite. Pourquoi la vie devient-elle si compliquée, si angoissante ?

Maintenant, Thierry ne lui paraît plus ennuyeux. Il est charmant, gentil. « Je donnerais tout pour qu'il me serre dans ses bras, en ce moment », songe-t-elle en se laissant tomber dans un coin.

Au bout d'un moment, elle va se regarder dans le miroir au-dessus de la coiffeuse. Elle a peur de ce qu'elle va y trouver... comme si Julien avait raison et qu'elle risquait de lire dans ses yeux son désir de commettre d'autres crimes.

Mais, avant de se regarder dans le miroir, elle est soudain distraite par quelque chose sur le coin de la coiffeuse.

C'est une pile de reçus de cartes de crédit, qu'elle n'a pas le souvenir d'avoir posés là.

Elle prend lentement la pile et y découvre la facture d'une grande quincaillerie pour l'achat d'une boîte d'huile à moteur, d'une lime, d'un jeu de clés anglaises et d'autres outils. Puis celle d'un magasin spécialisé dans la coutellerie, pour l'achat de plusieurs couteaux.

Elle trouve d'autres factures pour des objets inusités, qu'elle n'a jamais achetés. Arrivée à la dernière facture, ses mains tremblent tellement qu'elle a du mal à la tenir.

Elle n'a aucun souvenir de ces achats et, pourtant, sa signature apparaît au bas de chaque reçu.

La dernière est celle d'une boutique de produits d'extermination, pour l'achat de mort-aux-rats.

Or, il n'y a pas de rats dans la maison de Rachel.

Chapitre 23

Le lendemain matin, Rachel se retrouve comme par hasard près du support à bicyclettes devant l'école. De si bonne heure, il n'y a pratiquement personne dans les parages.

« Julien a raison, se dit-elle. Je ne peux pas aller à la police après tous ces achats. J'ai trop l'air coupable. »

Elle donne un coup de poing sur le support, puis grimace de douleur. Elle claque des dents, et ce n'est pas à cause du froid. Malgré tout, elle resserre le capuchon de son blouson autour de sa tête.

Thierry passe à côté d'elle sans dire un mot.

Des élèves commencent à arriver, par petits groupes. Rachel espère que Diane sera bientôt là.

Elle se dit qu'elle ne fera rien, puis se demande aussitôt ce qu'elle fait là si ce n'est pas pour trafiquer les freins de la bicyclette de Diane. Et si elle ne le fait pas, que fera Julien ?

Elle fait les cent pas devant le support à bicyclettes en se parlant mentalement. « C'est ridicule.

Si je traîne trop longtemps ici, ça risque d'éveiller des soupçons. Et puis non. Dès que j'apercevrai Diane, je vais m'éloigner et revenir quand elle sera entrée dans l'école. Personne ne me croit capable d'un geste pareil. De toute façon, je ne le ferai pas. »

Vraiment ?

Elle ferme les yeux un moment. Elle est en train de vivre un cauchemar. Julien lui a dit où limer le câble de freins, juste assez pour qu'il se casse quand la poignée de freins sera activée. Une fois le câble cassé, les freins ne répondront plus. Même sur un chemin plat et droit, il pourrait y avoir danger. Sur une pente, ce serait fatal.

Le son d'une voix derrière elle lui fait ouvrir les yeux.

— Bonjour !

— Oh ! fait Rachel, le souffle coupé.

C'est Odile.

— Excuse-moi ! Je ne voulais pas te faire peur. Est-ce que mon maquillage est de travers, ou quoi ?

— Non, non, répond Rachel en essayant de sourire.

Elle a peine à cacher sa déception, car Diane vient de faire son apparition sur sa bicyclette. Rachel et Odile sont mal à l'aise. C'est Odile qui rompt le silence.

— Rachel, je suis désolée pour hier. Je veux dire... de t'avoir accusée. C'était une erreur. Si tu dis que ce n'est pas toi, c'est que ce n'est pas toi. Je ne sais pas comment j'ai pu penser que tu avais délibérément causé un accident.

Rachel se mord la lèvre inférieure. Julien avait raison. Odile croit ce qu'elle veut croire.

— Merci, Odile, murmure-t-elle.

Odile semble attendre que Rachel continue, mais, comme son amie ne dit rien, elle rompt le silence encore une fois.

— Hé ! regarde ! L'école est juste là... on entre ? dit-elle en essayant maladroitement de faire de l'humour.

— Pourquoi pas ! répond Rachel avec la même fausse gaieté.

— As-tu des nouvelles de Julien ? demande Odile pendant qu'elles marchent en direction de l'école.

— Non ! ment Rachel, consciente qu'elle a parlé un peu trop vite.

— Bon débarras ! lance Odile en entrant dans l'édifice. L'idée de le rencontrer me donne la chair de poule. Tu ne t'intéresses plus à lui, n'est-ce pas ?

— Certainement pas, s'empresse de répondre Rachel en espérant trouver un moyen subtil de détourner la conversation.

— Tu sais, il a du pain sur la planche, avec la maison, continue Odile, mettant Rachel de plus en plus mal à l'aise. Je suis passée devant, l'autre jour et... ouf ! c'est un vrai désastre. Bon, à plus tard.

— À plus tard.

Après quelques pas, Odile se retourne et lance :

— Hé ! Rachel, tu ne trouves pas que ça serait super si cet hurluberlu ne venait pas habiter à côté de chez toi ? S'il disparaissait dans le brouillard ?

— Ouais.

« Si Julien disparaissait, mon rêve deviendrait réalité », pense encore Rachel en entrant dans la classe.

Assise à son bureau, elle regarde entrer les élèves les uns après les autres. Elle se sent différente d'eux, comme si elle était sur une autre planète.

Julien attendra-t-il à cet après-midi pour trafiquer les freins ? Ou agira-t-il dès qu'il s'apercevra qu'elle s'est dégonflée ? Manigance-t-il quelque chose de pire encore ?

Comment Rachel réussira-t-elle à passer la journée en sachant ce qui se trame contre Diane ?

Elle va de mal en pis jusqu'à l'heure de son dernier cours, celui que Diane suit avec elle.

Hé ! super ! Ce sera facile d'engager la conversation avec Diane et de continuer à bavarder tout en sortant de l'école.

« Je parlerai avec elle jusqu'à ce qu'elle aille prendre sa bicyclette. Je verrai alors si le câble a été limé. Si oui, je ferai semblant de le remarquer par hasard et je l'avertirai. »

Une lueur d'espoir se répand dans toutes ses fibres. Mais c'est de courte durée, parce que Diane ne se montre pas au cours.

Chapitre 24

Rachel est à la torture pendant tout le cours. Elle imagine les pires scénarios, qu'elle écarte aussitôt l'un après l'autre. Elle se convainc qu'il n'y a rien de grave, puis aussitôt un terrible doute la remplit de remords et d'horreur.

Des images s'imposent à son esprit malgré elle. Elle voit Diane sans connaissance sur le sol, en train de geler dans un coin isolé du parc. Diane allongée sur l'autoroute à côté de sa bicyclette, la jambe pliée dans un angle anormal, incapable de bouger pendant qu'un camion fonce sur elle.

Plusieurs images de Diane alternent avec une image unique de Julien. Julien riant aux éclats, d'un rire haineux, tordu, cruel.

À la fin du cours, Rachel a l'impression que ses cheveux ont dû grisonner pendant la dernière heure.

Au son de la cloche, elle se tourne vers la meilleure amie de Diane, une petite brune du nom de Lison.

— Sais-tu où est Diane ? lui demande-t-elle.

Lison tambourine nerveusement sur son bureau avec son stylo.

— J'aimerais bien le savoir. On est censées aller magasiner ensemble. On devait partir tout de suite après les cours. Je ne comprends pas. Diane ne manque jamais un cours. Enfin ! On verra bien, conclut-elle en haussant les épaules et en prenant ses livres.

« Oui, on verra bien », se dit Rachel.

Sitôt arrivée chez elle, elle se précipite vers la maison d'à côté. D'un pas énergique, elle traverse le terrain couvert d'herbes hautes et grimpe les marches du perron. Elle cogne furieusement à la porte. N'obtenant pas de réponse, elle cogne encore... et encore. Elle regarde à travers les fenêtres sombres et crasseuses, toujours couvertes de planches clouées en tous sens. Tout ce qu'elle arrive à voir, c'est quelques maigres rayons de soleil. Elle fait le tour de la maison, cherchant en vain un signe de la présence de Julien.

Il n'y a rien d'autre à faire que rentrer chez elle et attendre. Elle s'en retourne d'un pas traînant.

Une fois chez elle, elle se laisse tomber sur le canapé et, les mains derrière la tête, contemple le plafond en espérant de tout son cœur qu'il n'est rien arrivé à Diane.

Les heures passent, puis la sonnerie du téléphone retentit dans le silence. Après une hésitation, Rachel va répondre.

— Allô ?

— Allô, Rachel ? C'est Lison, l'amie de Diane.

Rachel se cramponne au récepteur.

— Qu'y a-t-il, Lison ?

— Bien… tu t'es informée de Diane et… je viens d'apprendre qu'il lui est arrivé quelque chose aujourd'hui.

— Quoi ? Parle, Lison !

— Tout ce que je sais, Rachel, dit la jeune fille d'une voix chevrotante, c'est que Diane a eu un accident. Elle est à l'hôpital.

Chapitre 25

Diane est à l'hôpital et on n'en sait pas plus. Voilà tout ce que Lison a pu lui dire.

Rachel s'habille, descend l'escalier et sort dans l'obscurité. Hors d'elle, elle va faire le tour de la maison d'à côté, cherchant et criant dans le noir.

— Julien ! JULIEN !

La maison semble la regarder avec animosité, sans dévoiler ses secrets. Finalement, Rachel abandonne et retourne chez elle, puis monte dans sa chambre.

Elle passe une terrible nuit sans sommeil, à ressasser tous les événements qui se sont déroulés depuis sa rencontre avec Julien. Ses pensées vont et viennent sans répit. Julien a complètement bouleversé sa vie.

Le lendemain, Rachel n'a aucune envie d'aller à l'école, mais en même temps elle ne peut pas supporter l'idée de rester à la maison à se faire du mauvais sang. Elle s'en va donc à la polyvalente.

Au premier cours, elle va s'asseoir à sa place près d'Odile, sans même lui jeter un regard. Elle est toujours là, comme hypnotisée, quand la voix du directeur, à l'interphone, donne les nouvelles du jour. Elle écoute d'une oreille distraite la voix monotone, quand soudain elle entend quelque chose qui retient son attention.

— Pour terminer, j'aimerais vous donner des nouvelles d'une de nos élèves, Diane Robert. Comme vous le savez peut-être, Diane a dû être transportée à l'hôpital hier. Je vous informe qu'elle a eu une crise d'appendicite, qu'on a pratiqué une opération hier soir et que Diane va bien. Les médecins semblent croire qu'elle sera bientôt sur pied. Nous lui souhaitons un prompt rétablissement.

Une appendicite. Rachel éprouve un soulagement incroyable. Elle se tourne vers Odile et ne peut s'empêcher de sourire en articulant le mot « appendicite ».

Odile acquiesce lentement d'un signe de tête. Elle a l'air intriguée.

Après le cours, Rachel dit, à son amie, en sortant de la classe :

— Odile, c'est formidable, non ? Diane a eu une crise d'appendicite !

Odile recule d'un pas et regarde Rachel, l'air éberluée. Elle secoue doucement la tête.

— Je ne comprends pas, Rachel. C'est une chance que Diane aille bien, mais je ne vois rien de formidable à avoir une appendicite.

Rachel continue de sourire.

— Tu ne comprends pas ? La raison pour laquelle Diane est à l'hôpital n'a rien à voir avec Julien.

— Pourquoi est-ce que ça aurait à voir avec Julien ? demande Odile en reculant encore d'un pas.

Les deux filles se regardent en silence. Rachel n'a jamais vu Odile la regarder de cette façon.

— Qu'est-ce qu'il y a, Odile ? demande-t-elle au bout d'un moment.

Mais Odile ne répond pas. Elle continue de dévisager Rachel, qui se rend compte qu'elle n'a pas parlé à Odile des projets de Julien concernant Diane. Voilà pourquoi Odile ne comprend pas. Alors elle se met à lui expliquer les choses précipitamment, les mots se bousculant dans sa bouche.

— Vois-tu, Odile, Julien avait une idée en tête. Il voulait causer un accident à Diane…

Odile interrompt Rachel dans son récit en lui criant, interloquée :

— Oh ! arrête, Rachel ! Ta façon de parler de Julien, c'est… fou à lier !

Odile reste plantée là un moment puis, démontée, s'en va presque en courant.

Chapitre 26

Les mots d'Odile ont eu l'effet d'un choc électrique dans le cerveau de Rachel. En y repensant, elle se rend compte que sa façon de parler de Julien doit avoir l'air complètement folle. Surtout pour quelqu'un qui ne l'a jamais rencontré.

Elle fait donc bien attention de ne plus parler de Julien à Odile. Pourquoi en parler, d'ailleurs, puisqu'il ne s'est pas montré depuis des jours ? C'est comme si le rêve de Rachel était devenu réalité et que Julien s'était volatilisé. La maison d'à côté demeure sombre et secrète.

Rachel a tellement pris garde de ne pas parler de Julien qu'elle est surprise quand Odile mentionne son nom, un jour, à la cafétéria.

— Dis donc, Rachel, je ne t'ai pas entendue parler de Julien, ces derniers temps.

Odile a parlé tout en remuant son contenant de jus et Rachel a l'impression qu'elle fait un gros effort pour paraître détachée.

— Oh ! Julien ! dit-elle avec un geste dédaigneux de la main. Je n'ai pas pensé à lui... et il n'a pas fait acte de présence depuis quelque temps. Tu sais, confie-t-elle à son amie sur le même ton détaché, je pense que ses parents ne viendront pas habiter à côté, en fin de compte. Il doit être parti pour de bon.

— Après tout le temps qu'il a mis à réparer la maison ? fait Odile d'un air étonné. Tu penses qu'ils ont changé d'idée... juste comme ça ?

Rachel hausse les épaules et avale un morceau de son sandwich.

— Oui... juste comme ça.

Elle a parlé trop vite. Le jour même, en rentrant chez elle en voiture après un arrêt à l'épicerie, elle aperçoit une voiture dans l'allée de la maison voisine. Son cœur se serre. Julien serait-il de retour ?

Son cœur bat de plus en plus fort à mesure qu'elle approche. Elle constate alors que c'est la voiture d'Odile qui est stationnée dans l'allée. Odile n'est pas en vue... et la porte de la maison est ouverte.

Pourquoi n'est-elle pas soulagée de voir que c'est la voiture d'Odile et non une voiture qui serait celle de Julien ? Pourquoi a-t-elle si peur à l'idée qu'Odile cherche Julien ?

Elle se pose des questions, incapable de comprendre ni de freiner la panique qui lentement s'empare d'elle.

Après tout, Julien ne s'est pas montré depuis un bon bout de temps, et Odile croit même qu'il n'existe pas.

Alors pourquoi est-elle si effrayée de penser qu'Odile cherche Julien? Parce qu'il pourrait être là... et lui faire du mal? Ou parce qu'il pourrait ne pas être là?

Rachel roule dans l'allée de sa maison et gare la voiture. Elle a le souffle court, des gouttes de sueur perlent au-dessus de sa lèvre supérieure.

Elle sort de la voiture et part à la course vers la maison de Julien. Elle s'arrête sur le pas de la porte entrouverte, haletante.

Le temps est comme figé. Rachel sent la sueur couler dans son cou, dans son dos. Soudain, elle comprend. Elle fonce sans réfléchir, ouvre la porte à toute volée et pénètre d'un bond dans la maison.

Tout d'abord, elle ne distingue rien dans le noir... pas même ses mains tendues devant elle. Peu à peu, des ombres prennent forme. À mesure que ses yeux s'habituent à l'obscurité, elle distingue l'intérieur de la maison, éclairé par quelques rayons de lumière, qui filtrent entre les planches clouées aux fenêtres et dansent avec les grains de poussière.

Subitement, d'un seul coup, elle voit clairement ce qui l'entoure.

C'est terrifiant!

Oui. L'intérieur de la maison abandonnée est infiniment plus terrifiant que tout ce qu'elle a pu imaginer.

Mais pourquoi? Ce n'est quand même pas un donjon médiéval rempli d'instruments de torture, de squelettes retenus par de vieilles chaînes rouillées. Il n'y a pas d'horribles messages gravés sur les murs.

Non... rien de tout cela. Ce n'est qu'une maison, une vieille maison humide, sombre et sale.

Des trous béants dans les murs sont bordés de lambeaux de papier peint. La poussière recouvre tout d'un épais duvet et assombrit les fins rayons de lumière qui réussissent à percer à travers les fentes des planches clouées aux fenêtres. La maison est crasseuse, délabrée... mais elle est loin d'être aussi menaçante que les maisons hantées des contes de fées.

Rachel n'en revient pas. Elle essaie de repousser la terrible conclusion qui s'impose à elle.

« Il m'a dit qu'il travaillait ici tous les jours. Qu'il n'arrêtait pas de travailler... »

Elle regarde, éberluée, la cage d'escalier défoncée... le grand trou dans un coin du plancher... l'épaisse couche de poussière partout. Même sur le plancher. Le plancher... où il n'y a pas la moindre trace de pas.

Rien.

Le cœur de Rachel bat si fort qu'elle craint de le voir sortir de sa poitrine.

Personne n'a travaillé ici. Jamais personne n'est entré ici. Depuis très, très longtemps.

Chapitre 27

Le sang de Rachel bouillonne dans ses veines. Puis elle sent de nouveau les battements de son cœur.

BOUM. Boum. Boum.

Elle respire profondément dans l'espoir de se calmer, mais la poussière l'étouffe et elle se met à tousser de façon incontrôlable.

Elle a du mal à se remettre. La main sur la bouche, elle s'adosse au mur crasseux, les yeux pleins de larmes à cause de la toux et de la poussière.

Au moins, sa quinte de toux a un peu chassé sa panique… un peu.

Appuyée contre le mur, essayant de reprendre son souffle, elle est soudain troublée par quelque chose.

« Hé ! minute ! se dit-elle. Quelqu'un est quand même venu ici. »

Il y a des traces de pas dans la poussière, à peine visibles. De toutes petites traces.

— Odile ! crie-t-elle soudain. Odile ! répète-t-elle en suivant les traces dans la lumière ténue.

Odile va-t-elle bien ? Une peur nouvelle grouille au creux de sa poitrine, maintenant. Et si Julien avait surpris Odile ici ? Qu'aurait-il fait ? Si Julien s'était caché... et avait frappé Odile ?

— Odile ! crie encore Rachel, si inquiète pour son amie qu'elle en oublie sa peur.

Jusqu'à ce qu'une voix dans sa tête la mette en garde... « S'il a blessé Odile... ou s'il s'apprête à le faire... qu'est-ce qui te fait croire qu'il ne s'en prendra pas à toi aussi ? »

Cette voix dans sa tête semble si réelle... mais Rachel n'arrive pas à prendre ses distances par rapport à elle. Même si la voix ressemble étrangement à celle de Julien...

Puis elle sent une main lui serrer l'épaule !

— Rachel...

Avant même qu'elle puisse crier, quelqu'un surgit devant elle.

— Odile ! Ah ! Odile, tu vas bien ?

Les yeux d'Odile brillent dans le noir... des yeux immenses dans un visage crispé.

— Bien sûr que je vais bien. Rachel... personne n'est venu ici.

Odile croise les bras et regarde intensément son amie.

— Rachel, j'ai fouillé tous les recoins de la maison et je n'ai rien vu qui laisse croire qu'on a fait le moindre travail ici récemment. Il n'y a même pas trace du passage de quelqu'un. Regarde, Rachel, insiste-t-elle en montrant le sol. Les seules traces de pas sur le plancher sont les miennes… et les tiennes. Si quelqu'un avait travaillé ici, on verrait des marques, des empreintes…

Odile s'interrompt tout d'un coup, les yeux écarquillés par la peur…

Et, subitement, Rachel aperçoit Julien qui, sans avertissement et d'un geste vif comme l'éclair, pousse Odile dans les marches de la cave.

Chapitre 28

Rachel ne sait pas trop quel cri a fendu l'air : celui d'Odile, le sien ou les deux à la fois.

Tout s'est fait si vite... elle n'en croit ni ses yeux ni ses oreilles. Elle regarde le trou béant de la cave et entend le corps d'Odile débouler l'escalier, pour s'écraser enfin avec un son mat au fond de la cave.

Ensuite, c'est le silence complet.

Où est Julien ?

Lentement, l'estomac noué, Rachel se retourne. Elle tend les bras et tâtonne en avant, sur les côtés...

« Où est-il passé ? » se demande-t-elle. Peut-il entendre le sang bourdonner dans ses veines ? Peut-il entendre les battements de son cœur ? Pourquoi pas, puisqu'il semble lire dans ses pensées, deviner ses moindres faits et gestes ?

Qui est-il ?... Ou plutôt qu'est-il ?

Pour l'instant, ce qui compte, c'est... où est-il ?

Elle tend l'oreille, mais il n'y a pas le moindre souffle dans toute la maison.

Et Odile ? Elle n'ose imaginer son corps au bas

de l'escalier... et il fait si sombre qu'elle n'y voit rien.

Il faut qu'elle sache comment va Odile. Seule son inquiétude pour son amie l'empêche de se laisser emporter par la peur et de prendre la fuite. Alors, au lieu de prendre ses jambes à son cou, elle réussit à mettre un pied devant l'autre jusqu'à la porte de la cave, puis à s'enfoncer marche par marche dans le gouffre noir.

Rendue au pied de l'escalier, elle distingue à peine le corps d'Odile effondré en une masse informe. La cave n'est qu'un réduit froid et humide fait de quelques briques et de dalles de ciment.

Une vraie tombe.

Allongée sur le sol, Odile gémit.

— Odile ? Odile, c'est moi, Rachel.

Elle gémit encore.

Pauvre Odile. Rachel se penche sur elle... lui prend la main... lui soulève la nuque...

— Non ! Non ! Au secours ! Ne me touche pas, Rachel ! crie Odile en se débattant.

— Odile, arrête ! Tu divagues. Laisse-moi t'aider. Il faut nous dépêcher. On doit se sauver de Julien !

— Non ! crie Odile. Il n'y a pas de Julien ! J'avais des doutes, mais maintenant je le sais. Ce n'est pas Julien qui a commis toutes ces horreurs. C'est toi !

— Odile, je t'en prie, dit Rachel en s'efforçant d'être calme, ce n'est pas vrai.

Son visage est baigné de larmes.

— Comment peux-tu dire des choses pareilles ? C'est Julien qui t'a poussée dans l'escalier.

— NON ! lance Odile. Tu as inventé Julien pour pouvoir faire ce que tu veux. C'était toi, toi seule ! Tu m'as poussée dans l'escalier !

Chapitre 29

Rachel se penche sur Odile, qui la repousse. Puis Odile gémit de nouveau, ses paupières battent et elle perd connaissance.

Rachel grimpe deux par deux les marches branlantes, gagne d'un bond la porte et s'élance à l'extérieur. Elle court comme une folle, sans savoir où elle va, jusqu'à ce qu'elle soit à bout de souffle. Tout ce qu'elle veut, c'est fuir l'horreur… fuir Julien.

Elle essaie de courir plus vite, plus vite, plus vite…

Mais elle sait bien, au fond, qu'elle ne peut pas fuir Julien, pas plus qu'elle ne peut se fuir elle-même. Parce qu'il n'existe que dans sa tête. Elle en est sûre, et pourtant elle n'ose pas se retourner.

« Il n'existe pas, ne cesse-t-elle de se répéter dans sa course. Je suis folle ! Je suis folle ! »

Soudain elle arrête de courir à l'aveuglette. Elle est à bout de souffle. Elle respire avec difficulté, à grands coups saccadés.

Au bout d'un moment, elle se remet à courir,

mais cette fois ce n'est pas pour fuir. Cette fois, elle sait où elle va... elle court chercher de l'aide pour Odile.

Elle court en direction de chez elle, essayant à tout moment d'entendre les pas de Julien derrière elle. Elle a beau tendre l'oreille, elle n'entend rien.

Mais se pourrait-il qu'il soit là ? En arrivant à la porte de sa maison, elle est sûre de sentir une main lui effleurer l'épaule.

« Il n'est pas là ! Il n'est pas là ! » se répète-t-elle. Mais elle ne peut s'empêcher de verrouiller la porte à double tour derrière elle avant de se précipiter sur le téléphone pour appeler une ambulance.

« Je devrais leur demander d'en envoyer une pour moi aussi, se dit-elle, avec des infirmiers en blouse blanche... »

Elle pose la main sur le téléphone, le visage ruisselant de larmes.

« Compose le 911. Compose le 911 », se répète-t-elle.

Mais elle n'y arrive pas tant sa main tremble de peur. Elle a peur de Julien... même si elle sait qu'il n'est pas là.

Dans sa peur, elle croit entendre s'ouvrir la porte de la cuisine... entendre les pas de Julien dans le couloir. « C'est complètement fou, se répète-t-elle. Il n'existe pas ! »

« Il n'est pas là ! Il n'est pas là ! Il n'est pas là ! »

Elle le croit dans sa tête, mais pas dans son cœur. Elle a beau se dire de ne pas avoir peur, la peur ne la quitte pas. Elle n'arrête pas d'entendre des pas dans le couloir. Elle essaie d'écouter ce que lui dit son esprit, elle essaie de composer le 911... mais elle est transpercée de peur. Elle sait qu'il approche... et elle s'éloigne en courant du téléphone... de Julien.

Pendant qu'elle monte l'escalier en trombe, elle entend toujours ses pas derrière elle. Son cœur bat à tout rompre. Rendue à l'étage, elle le sent approcher, toujours plus près.

« Il n'est pas réel. Il n'existe pas. »

Mais elle sent son souffle chaud sur sa nuque et continue de courir.

« Qu'est-ce que je vais faire quand je ne pourrai plus courir nulle part ? » se demande-t-elle.

Et ça y est. Elle ne peut plus aller plus loin.

Julien va arriver d'un instant à l'autre...

Chapitre 30

Rachel entend les pas de Julien dans les marches.

« Il faut que je me sauve, crie-t-elle dans sa tête. Il faut que je lui échappe. »

Pendant qu'elle tourne en tous sens comme une girouette, une chose fixée au mur la frappe. Une échelle.

« La mansarde. »

Elle s'empare de l'échelle et l'appuie contre le mur, juste sous l'ouverture près du plafond qui mène à la mansarde. Elle continue de se dire qu'elle est folle, qu'elle essaie de fuir quelqu'un qui n'existe que dans sa tête. Mais elle s'en fiche. Elle n'a qu'une idée : se sauver.

Dans la maison silencieuse, elle se débat pour installer convenablement l'échelle. Quand enfin elle y parvient, elle commence à gravir les barreaux un à un.

« Dépêche-toi. Il est juste derrière toi », ne cesse-t-elle de se répéter.

Puis elle pousse le panneau qui mène à la mansarde. Il refuse de bouger. Elle est sur le point de perdre l'esprit et de se mettre à hurler, mais elle ramasse toutes les forces qu'il lui reste et pousse. Le panneau bouge de quelques centimètres... juste comme elle entend la voix de Julien derrière elle.

— Salut !

Chapitre 31

— Salut !

Au son de sa voix, Rachel sent un frisson la parcourir.

Sa voix semble si réelle !

Elle est sûre de sentir bouger l'échelle. Malgré elle, elle se retourne... regarde en bas... et qui voit-elle ?

Julien.

Il a l'air tellement réel !

Ses yeux lui donnent la chair de poule.

Des yeux de glace, qui pourtant lancent des étincelles. L'échelle bouge, comme si Julien la secouait pour faire tomber Rachel. Elle s'y agrippe, maintenant incapable d'avoir une pensée logique quant à l'existence de Julien.

Puis, sans réfléchir, comme une automate, elle pousse le panneau de toutes ses forces. Il cède enfin et elle se jette dans l'ouverture, juste assez loin pour ne pas tomber. Elle entend l'échelle basculer avec fracas contre la rampe d'escalier et dégringoler les marches.

Les jambes pendantes, elle se démène pour se hisser dans la mansarde. Elle s'est cogné le menton contre le plancher, mais la frayeur l'empêche d'avoir mal, malgré le goût de sang dans sa bouche.

« N'y pense pas maintenant », se dit-elle en rampant avec effort sur les planches rugueuses et poussiéreuses. Des échardes s'enfoncent dans ses doigts sans qu'elle en ressente aucune douleur.

Elle pédale dans le vide quand tout à coup elle sent son pied toucher quelque chose... en chair et en os. La main de Julien a attrapé sa cheville et tire...

C'est impossible.

Elle se tortille et rampe dans la poussière, puis reste un moment étendue sans bouger. En dessous, elle entend Julien dévaler l'escalier. Il va aller chercher l'échelle et pourra l'atteindre en un rien de temps. Elle est prise au piège.

« Arrête de penser à ça ! » s'ordonne-t-elle.

Elle parvient à faire taire ses pensées et s'évertue à se répéter qu'il n'y a personne à fuir.

Elle est très à l'étroit, il n'y a pas de place pour se lever... c'est tout juste si elle peut s'asseoir sans se cogner la tête.

« Ça va aller, maintenant, se dit-elle. Les choses vont s'arranger. Je vais me ressaisir, je ne serai plus folle. » Elle touche son visage, sent quelque chose d'humide et se rend soudain compte qu'elle pleure à chaudes larmes.

« Il n'est pas réel. Je le sais maintenant. »

En rampant, elle va s'asseoir dans une encoignure poussiéreuse.

« Dès que j'aurai repris mon souffle, je vais descendre dans la cuisine... et je n'aurai plus peur. » Son cœur bat à tout rompre.

Odile !

Comment a-t-elle pu oublier Odile ?

Comme elle essaie de bouger, elle ne peut retenir une plainte. Subitement, toutes les sensations de son corps lui reviennent. Elle se sent comme une gigantesque blessure. Ses mains, ses avant-bras et ses coudes sont éraflés et couverts de sang, pleins d'échardes. Son jeans est déchiré, elle a les genoux écorchés et couverts de bleus.

« Il faut quand même que je me lève, il le faut », se dit-elle en se traînant à grand-peine jusqu'à l'ouverture de la mansarde.

« Oublie la douleur, se dit-elle en essayant de faire taire son terrible sentiment de culpabilité. C'est sûrement vrai. C'est moi qui ai blessé Odile. »

Sa main touche quelque chose de doux, comme du cachemire. Ses yeux s'habituent lentement à la pénombre étouffante de poussière. Une écharpe.

Peu à peu, elle distingue d'autres objets : un vieux manteau, une carte de crédit à son nom et son bloc de messages téléphoniques.

« Je ne comprends pas... Je ne comprends pas... » Elle se creuse la cervelle quand elle entend tout à coup le téléphone sonner en bas.

« Je ne comprends pas. »

Elle découvre une grosse pointe de fromage enveloppée dans de la pellicule plastique. Une couverture. Un oreiller. Puis elle aperçoit, chiffonné dans un coin, son chandail de l'équipe des meneuses qu'elle avait perdu.

Quand enfin la lumière se fait dans son esprit, elle a un haut-le-cœur.

Julien n'a pas pris naissance dans son imagination détraquée. Il est bien réel. S'il n'y a pas trace de lui dans la maison d'à côté, et s'il sait tant de choses sur son compte, c'est pour une raison bien simple : il n'a jamais habité dans la maison d'à côté, mais dans sa maison à elle.

Elle n'a pas aussitôt compris qu'elle entend un bruit. Elle se tourne et voit Julien en train de se hisser dans la mansarde en grimaçant un sourire.

— Coucou, c'est moi !

Chapitre 32

À quatre pattes, Julien rampe dans sa direction. Ses yeux brillent d'une lueur d'autant plus terrifiante que son sourire angélique est figé sur son visage.

— N'approche pas ! crie Rachel.

— Ne pas t'approcher, Rachel ? Vraiment ! Tu m'insultes. Je pensais que tu serais contente de me voir.

Il continue de ramper dans sa direction comme un animal enragé, impitoyable.

— Je ne peux pas rester loin de toi, mon trésor. Je veux être près de toi… tout près… pour pouvoir mettre mes mains autour de ton cou et serrer jusqu'à ce que les yeux te sortent de la tête !

Rachel attrape le morceau de fromage et le lui lance au visage. Il le reçoit entre les deux yeux, à la racine du nez, et hurle de douleur et de rage.

— Trop de fromage, c'est mauvais pour ton cholestérol ! lui crie Rachel.

Soudain, elle entrevoit un moyen de s'échapper.

C'est comme si elle regardait la reprise d'une des émissions de bricolage de son père, celle qu'elle a déjà vue sur l'isolation des toits. Son père a mentionné qu'il y avait une lucarne sur le toit. Elle la localise pendant que Julien voit des étoiles ; elle tourne le loquet et se hisse sur le toit en s'aidant des pieds et des mains.

Une bouffée d'air frais l'enveloppe et la revivifie. Tout se met à tourner quand soudain elle perd pied et risque de glisser tout le long du toit et de se retrouver en bas sur le sol. Mais elle parvient à s'accrocher à la surface rugueuse, s'éraflant les mains encore plus, et à s'arc-bouter avec les pieds. Sa chute se trouve ralentie et elle aboutit sur la partie plate qui borde le toit.

Julien n'a pas tardé à la poursuivre et rampe le long du toit. On dirait un serpent qui ondule et s'apprête à cracher son venin.

Rachel continue d'avancer avec précaution, sans bruit, mettant toutes ses énergies à garder son équilibre et à rester calme, à garder l'esprit vif.

— T'en fais pas, mon trésor. Je serai près de toi dans une seconde… pour te casser le cou ! lui crie Julien, qui avance lentement mais sûrement.

Rachel perd l'équilibre et se retient au bord du toit. Elle a mal au cœur… elle craint de vomir. Mais elle se force à faire taire sa peur et, à petits pas prudents, contourne le coin de la maison.

« Il faut que je continue d'avancer, se dit-elle désespérément. Tant que j'avance, il y a de l'espoir…

Tant que j'avance, je peux arriver à lui échapper. »

Mais elle ne peut pas se mentir à elle-même. Julien a atteint le coin et se rapproche. L'espace qui les sépare se rétrécit. Si elle accélère sa cadence, elle risque de perdre l'équilibre ; si elle la ralentit, Julien aura tôt fait de la rejoindre. Décidément, ses chances s'amenuisent... Il est bientôt si près qu'elle peut voir ses yeux allumés d'une étrange folie.

— N'aie pas peur, ma belle ! Julien est près de toi !

Il grogne et tend la main... comme une grosse patte menaçante. Le cœur de Rachel s'arrête de battre. C'est foutu... c'est foutu...

Le bras de Julien est sur le point de s'abattre sur elle. Va-t-il essayer de l'étrangler... ou la pousser en bas du toit ?

Elle attend...

C'est alors que survient une chose étrange. Julien, debout sur le toit, rit de son rire machiavélique... il tend la main...

Puis Rachel le voit disparaître comme par enchantement.

Chapitre 33

— Je n'arrive pas à croire que tout ça s'est passé il y a à peine une semaine.

Rachel se laisse aller contre Thierry, savourant le plaisir de sentir son bras autour de ses épaules.

Rachel, Thierry et Odile sont allongés par terre dans le salon, chez Rachel.

— J'aimerais que ça ne soit jamais arrivé, dit Odile en montrant son bras cassé. Ce qui m'épate, Rachel, c'est qu'après tout ce que tu venais de traverser tu sois tout bonnement descendue pour aller appeler l'ambulance. Quand on m'a installée sur la civière, j'ai cru que j'allais mourir.

Rachel hausse les épaules.

— C'est probablement l'amitié qui m'a donné la force d'agir... et un peu d'adrénaline. Sans compter que Thierry est apparu tout d'un coup, au moment où je m'y attendais le moins.

— Je n'arrive pas à m'expliquer ça, moi non plus, dit-il en hochant la tête. C'est bizarre... j'avais comme un pressentiment. Au fond, peut-être que j'ai tout simplement eu envie de te voir, Rachel.

Il serre l'épaule de son amie.

— Tu ne peux pas savoir tout ce qui m'est passé par la tête. J'ai conduit jusque chez toi, je suis sorti de la voiture... et j'ai vu toute la scène. Rachel sur le toit qui criait. Puis j'ai aperçu un gars étendu sur le sol... sans connaissance... avec un grand morceau du toit à côté de lui. J'aurai beau vivre jusqu'à cent ans... je n'en reviendrai jamais ! Je suis parti en courant, sans avoir la moindre idée de ce que j'allais faire... J'ai grimpé les marches... et Rachel était au téléphone avec les gens du 911.

Rachel cale un coussin derrière son dos et prend une gorgée de soda.

— C'était tellement bizarre et effrayant. À un moment donné, j'ai vraiment cru que j'étais cinglée, parce qu'il a disparu... comme volatilisé... Puis je l'ai entendu crier et j'ai entendu son corps tomber sur le sol. C'est alors que j'ai compris. Le bout du toit auquel il se tenait s'est détaché. J'ai eu de la chance que ça ne me soit pas arrivé à moi.

— Si tu veux mon avis, dit Odile en tortillant une mèche de ses cheveux, c'est Julien qui a eu de la chance. Il s'en est tiré avec des bleus et quelques côtes cassées. Quand je pense à ce qu'il t'a fait... prendre tes affaires, écouter tes messages. Il m'a presque convaincue que c'était toi, ce jour-là, dans le parc, quand il a mis tes vêtements et a causé l'accident de Diane.

Rachel a un frisson.

— Je suis contente que le centre pour jeunes délinquants où on l'a ramené soit loin, très loin d'ici. Tu sais ce que les policiers m'ont dit? Qu'il s'est évadé il y a plusieurs mois et qu'on le recherchait depuis, parce qu'il était dangereux. Ils ont dit qu'il s'amusait à manipuler les gens… et on croit qu'il est psychopathe.

Tout en parlant, Rachel se lève et va vers la cuisine.

— Un des policiers a commencé à me raconter les crimes qu'il avait commis, mais je lui ai dit que je ne voulais pas en entendre parler. Je n'en pouvais plus.

Elle se tourne vers Odile et Thierry, et ajoute:

— Même si je sais que tout est fini, il m'arrive d'avoir peur quand j'entends des craquements dans la maison… comme s'il était toujours là à m'épier.

— C'est fini, Rachel. Tu es en sécurité maintenant, lui dit doucement Thierry.

À ce moment précis, la porte s'ouvre et une ombre immense apparaît sur le tapis. Un homme entre lentement, soupire et pose par terre un coffre à outils.

— Papa! s'écrie Rachel en courant vers lui et en lui jetant les bras autour du cou. Comme je suis contente de te voir!

Elle recule d'un pas et le regarde, radieuse.

— Hé! quel bel accueil! Bonjour, Thierry… Odile.

Pendant que les deux adolescents sautent sur

leurs pieds, monsieur Belleau dit à Rachel :

— Tu sais, ma chérie, je suis désolé d'avoir négligé la maison si longtemps, mais ça va changer. Je viens de voir ce qui est arrivé au toit. J'aurais dû le réparer il y a belle lurette.

Rachel regarde ses amis et rétorque :

— En fait, c'est une bonne chose que tu ne l'aies pas réparé, papa.

— Hein ? fait monsieur Belleau sans comprendre.

Rachel, Thierry et Odile échangent un regard complice.

— Tu ferais mieux de t'asseoir, papa, finit par dire Rachel. J'ai une longue histoire à te raconter...

Épilogue

Le père de Rachel a tenu sa promesse et réparé la maison, mais ils n'y sont pas demeurés longtemps. Même lui, quand il était dans la maison, éprouvait d'étranges sentiments qu'il ne pouvait pas s'expliquer.

Quand Rachel est entrée au cégep, monsieur Belleau a vendu la maison et a acheté un verger dans les Cantons de l'Est.

L'entrepreneur qui a acheté leur maison a aussi acheté celle d'à côté. Il a démoli les deux pour construire autre chose. Mais il a dû changer d'idée, parce qu'en fin de compte il n'a rien fait. Les terrains sont restés vacants… et finalement plus personne ne passait par là. Les gens évitaient l'endroit parce que, chaque fois qu'ils y passaient par hasard, ils avaient l'impression que quelqu'un s'y cachait et les épiait… et ils s'empressaient de passer leur chemin, la peur dans l'âme.

Dans la même collection

1. Quel rendez-vous !
2. L'admirateur secret
3. Qui est à l'appareil ?
4. Cette nuit-là !
5. Poisson d'avril
6. Ange ou démon ?
7. La gardienne
8. La robe de bal
9. L'examen fatidique
10. Le chouchou du professeur
11. Terreur à Saint-Louis
12. Fête sur la plage
13. Le passage secret
14. Le retour de Bob
15. Le bonhomme de neige
16. Les poupées mutilées
17. La gardienne II
18. L'accident
19. La rouquine
20. La fenêtre
21. L'invitation trompeuse
22. Un week-end très spécial
23. Chez Trixie
24. Miroir, miroir
25. Fièvre mortelle
26. Délit de fuite
27. Parfum de venin
28. Le train de la vengeance
29. La pension infernale

30. Les griffes meurtrières
31. Cauchemar sur l'autoroute
32. Le chalet maudit
33. Le secret de l'auberge
34. Rêve fatal
35. Les flammes accusatrices
36. Un Noël sanglant
37. Le jeu de la mort
38. La gardienne III
39. Incendie criminel
40. Le fantôme de la falaise
41. Le camp de la terreur
42. Appels anonymes
43. Jalousie fatale
44. Le témoin silencieux
45. Danger à la télé
46. Rendez-vous à l'halloween
47. La vengeance du fantôme
48. Cœur traqué
49. L'étranger
50. L'album-souvenir
51. Danger ! Élève au volant
52. Vagues de peur
53. Obsession
54. Porté disparu
55. Rendez-vous à l'halloween II
56. La gardienne IV
57. Les jumelles

ACHEVÉ D'IMPRIMER
EN OCTOBRE 1995
SUR LES PRESSES DE
PAYETTE & SIMMS INC.
À SAINT-LAMBERT (Québec)